KATHRYN LITTLEWOOD

Traduit de l'anglais (États-Unis) par Juliette Lê

POCKET JEUNESSE
PKJ·

Titre original :
Bliss

Publié pour la première fois en 2012
par Katherine Teger Books,
un département d'HarperCollins Publishers

Loi n° 49-956 du 16 juillet 1949 sur les publications
destinées à la jeunesse : avril 2013.

ISBN 978-2-266-22155-9

À Ted

Prologue

Une pincée de magie

Rosemary Bliss venait tout juste d'avoir dix ans, cet été-là, quand pour la première fois elle vit sa mère introduire dans la pâte à gâteau un éclair sans tonnerre. C'est là qu'elle sut, sans l'ombre d'un doute, que ses parents pratiquaient la magie à la pâtisserie Bliss.

Le cadet des Calhoun, Kenny, six ans, s'était aventuré dans un relais électrique de la gare. Ayant touché la mauvaise poignée, il s'était électrocuté. Ses cheveux s'étaient dressés sur sa tête et il avait fini à l'hôpital.

Lorsque Céleste, la mère de Rose, avait appris que Kenny était dans le coma, elle avait tout de suite fermé la pâtisserie.

— Ce n'est pas le moment de faire des cookies, avait-elle déclaré.

Puis elle s'était mise au travail dans la cuisine.

Elle ne s'était arrêtée ni pour manger ni pour dormir. Plusieurs nuits s'étaient écoulées, et elle était toujours attelée à la tâche. Pendant tout ce temps, Albert, le père de Rose, s'était occupé de ses frères et sœurs, tandis qu'elle avait supplié sa mère de la laisser l'aider en cuisine. Rose se retrouvait toujours chargée de faire les courses. Il fallait racheter de la farine, du chocolat noir, de l'extrait de vanille...

Tard dans la soirée du dimanche, un orage terrible s'abattit sur Calamity Falls. Le tonnerre et les éclairs fusaient, et une pluie battante tombait avec fracas sur le toit. Céleste annonça alors :

— Il est temps.

— On ne peut pas laisser les enfants, protesta Albert. Pas avec une tempête pareille !

Céleste hocha la tête.

— Dans ce cas on n'a pas le choix : on les emmène avec nous.

Elle hurla dans la cage d'escalier :

— Les enfants, descendez tous ! On va se promener !

Rose bouillait d'excitation. Son père ouvrit le monospace familial et Rose y grimpa, suivie de ses deux frères et de sa petite sœur. Albert emporta aussi un grand bocal en verre bleu.

Les rafales de vent chargé de pluie secouaient la voiture, qui manqua plusieurs fois de se renverser dans le fossé. Au volant, Albert serrait les dents et continuait de grimper la route de montagne, au-delà de la limite des arbres, jusqu'au sommet du mont Chauve.

— Tu es sûre que c'est la bonne chose à faire ? demanda-t-il à sa femme une fois qu'il eut garé la voiture.

Céleste dévissa le pot à confiture géant.

— Kenny est trop jeune pour mourir. Il faut que j'essaye.

Elle ouvrit la portière d'un coup de pied, bondit hors de la voiture et courut sous la pluie.

Rose regarda sa mère s'avancer au cœur de la tempête et lever bien au-dessus de sa tête le récipient ouvert.

C'est alors que l'éclair frappa.

Avec un craquement effroyable, la foudre déchira le ciel en deux et s'abattit droit sur le pot. Le champ entier s'éclaira comme en plein jour et Céleste rayonna si fort qu'on l'aurait dite faite de lumière.

— Maman ! hurla Rose en se ruant sur la portière.

Mais son père la retint en murmurant :

— Ce n'est pas encore prêt.

Il y eut un deuxième craquement, un deuxième éclair. Puis un autre…

Par la suite, Rose serait incapable de dire si elle avait été aveuglée par la lumière ou par ses larmes.

— Maman ! sanglota-t-elle.

À cet instant, la portière s'ouvrit à nouveau et sa mère grimpa dans la voiture. Elle était trempée et sentait le toast brûlé, mais, à part ça, elle avait l'air indemne. Rose jeta un coup d'œil au bocal refermé : des centaines de mini-éclairs bleus crépitaient et se tortillaient à l'intérieur.

— Rentrons vite, dit Céleste. Nous avons notre dernier ingrédient.

De retour à la maison, les enfants furent envoyés au lit, mais Rose, restée éveillée, descendit en cachette espionner sa mère dans la cuisine.

Céleste se tenait penchée au-dessus d'un récipient en métal qui contenait une masse blanche pâteuse. Elle disposa avec précaution le bocal au-dessus du saladier et dévissa le couvercle. Des petites étincelles bleues zigzaguant comme des serpents s'enfoncèrent dans la pâte, qui prit aussitôt une couleur vert fluo.

Céleste mélangea la préparation avec une cuillère et murmura :

— *Electro Correcto.*

Puis elle versa le tout dans un moule à gâteau, qu'elle mit au four. Sans même se retourner, elle dit :

— Tu devrais être au lit, Rosemary Bliss.

Cette nuit-là, Rose dormit d'un sommeil agité. Ses rêves étaient peuplés d'éclairs, de visions de sa mère rayonnant comme une ampoule orange et levant l'index pour lui ordonner d'aller se coucher.

Le lendemain matin, Céleste déposa le gâteau sur une assiette, le nappa d'un peu de glaçage blanc et appela Albert.

— Allons-y !

Elle fit signe à Rose.

— Toi aussi, tu viens.

Et tous les trois se mirent en route pour l'hôpital.

À première vue, Kenny n'avait pas l'air si mal en point, se dit Rose. Plus calme que d'habitude, le teint un peu trop bleu peut-être. Mais il était allongé sans bouger, connecté à des machines sinistres. Dans la petite chambre, son pouls n'émettait qu'un faible bip.

Quand la mère de Kenny aperçut Mme Bliss, elle éclata en sanglots.

— Il est trop tard pour lui apporter des gâteaux, Céleste !

La mère de Rose glissa quelques miettes entre les lèvres du garçon.

D'abord, aucun changement ne se produisit.

Ensuite on entendit un faible bruit de déglutition.

Céleste mit un morceau plus gros dans la bouche de l'enfant. Cette fois, sa langue bougea et un « gloups » plus fort se fit entendre. Lorsqu'elle introduisit une bouchée entière, il mâcha, avala et, avant même d'ouvrir les yeux, demanda :

— Est-ce que je peux avoir un verre de lait ?

C'est ainsi que Rose sut que la rumeur était vraie : les gâteaux de la pâtisserie Bliss étaient bel et bien magiques. Son père et sa mère avaient beau vivre dans une petite ville, conduire un monospace et même porter des bananes ridicules autour de la taille, ils étaient des magiciens de la cuisine.

Rose ne put s'empêcher de se demander : « Vais-je moi aussi devenir une magicienne-pâtissière ? »

1
Calamity Falls

Deux ans plus tard, Rose avait vu tomber sur la petite ville de Calamity Falls tout un lot de catastrophes, des petites comme des grandes. Ses parents avaient chaque fois arrangé les choses sans se faire remarquer.

Lorsque le vieux M. Rook s'était mis à arpenter le jardin de ses voisins dans son sommeil, Céleste lui avait concocté des Biscuits au sommeil de plomb. Elle avait rempli un saladier géant de farine, de sucre roux, d'œufs et de noix de muscade avec une pincée de bâillement de belette, qu'Albert avait d'ailleurs eu bien du mal à obtenir. Et M. Rook n'avait plus jamais été somnambule.

Puis l'énorme M. Wadsworth était resté coincé au fond d'un puits dont les pompiers ne parvenaient pas à l'extaire. Albert avait alors capturé la queue d'un nuage dans un des bocaux bleus et Céleste l'avait mélangée à la préparation de ses Macarons blancs nuageux.

— Ce n'est vraiment pas le moment de me gâter avec vos sucreries, madame Bliss ! avait gémi M. Wadsworth en voyant la boîte à gâteaux descendre vers lui à l'intérieur du puits.

Un instant plus tard, il avait marmonné :

— Mais ces macarons sont *tellement* bons !

Et il en avait englouti deux douzaines.

Après quoi, il était sorti du puits... comme sur un nuage.

Lorsque Mme Rizzle, la chanteuse d'opéra, s'était retrouvée trop enrouée pour répéter le spectacle musical *Oklahoma !* au théâtre de Calamity Falls, Céleste lui avait apporté des Cookies chantants au gingembre. Rose avait acheté au marché des racines de gingembre et Albert s'était chargé de recueillir le chant d'un rossignol – la nuit, forcément.

Et en Allemagne.

Sauf quand il devait se procurer des piqûres d'abeilles, Albert aimait beaucoup partir à la recherche des ingrédients magiques. Il en rapportait toujours un peu plus que nécessaire. Enfermés dans leurs bocaux bleus étiquetés, ils étaient cachés dans un endroit où personne – à moins de savoir où chercher – ne pourrait jamais les trouver.

Rose avait pour tâche de rapporter les ingrédients les plus faciles : les œufs, la farine, le lait et les noix. Les seules urgences auxquelles elle devait parer concernaient sa petite sœur de trois ans, Nini.

Le matin du 13 juillet, Rose fut réveillée par un effroyable bruit de métal percutant le carrelage de la cuisine. N'importe qui d'autre en aurait eu les cheveux dressés sur la tête. Rose se contenta de soupirer.

— Rose ! hurla sa mère. Viens vite !

Rose se leva à regret et, encore à moitié endormie, descendit en pyjama.

La cuisine ensoleillée servait aussi à la confection des gâteaux pour les clients. La pâtisserie donnait sur une rue passante de Calamity Falls. Là où une famille normale aurait installé son canapé et sa télé, les Bliss avaient un comptoir recouvert de gâteaux, une caisse enregistreuse et quelques tables pour la dégustation sur place.

Céleste Bliss se tenait dans un nuage de farine, entourée de compotiers en métal, de tas de farine, de sucre et d'une douzaine de jaunes d'œufs éparpillés sur le sol.

Nini était assise au milieu du désastre, son appareil Polaroid autour du cou. De l'œuf lui dégoulinait sur la joue. Avec un large sourire, elle prit une photo.

— Anis Bliss ! gronda Céleste. Regarde ce que tu as fait ! Tu as renversé les ingrédients des muffins au pavot. Tu sais bien que les clients attendent leurs muffins. Et ce matin, à cause de tes bêtises, ils n'en auront pas.

Nini prit un air penaud. Mais cela ne dura qu'une minute. Avec son plus beau sourire, elle sortit de la cuisine en courant : elle était encore trop petite pour se rendre compte de ce qu'elle faisait.

Céleste leva les bras au ciel et éclata de rire.

— Nini a de la chance d'être aussi adorable.

Rose contemplait le spectacle avec consternation.

— Je peux t'aider à nettoyer, maman ?

— Non, je vais demander à ton père. *En revanche…*, dit Céleste en tendant à Rose une liste griffonnée au dos d'une enveloppe, tu peux aller en ville me chercher ces ingrédients… C'est urgent.

— Bien, maman, acquiesça Rose, résignée à son rôle de coursier.

— Oh ! s'écria soudain Céleste. J'ai failli oublier.

Elle ôta la chaîne en argent qu'elle avait toujours autour du cou et la donna à Rose. Cette dernière avait toujours pensé que le pendentif argenté qui y était accroché était un bijou excentrique de plus – sa mère avait aussi une broche papillon aux ailes grandes comme des mains et une épingle à chapeau en forme de chapeau. Mais, en y regardant de plus près, elle s'aperçut que le fouet de cuisine miniature était en fait une clef.

— Va chez le serrurier et demande-lui d'en faire une copie. On va en avoir besoin. C'est très, *très* important, Rosemary.

Rose examina la clef. Elle était si belle, si délicate. Semblable à une araignée qui aurait réuni l'extrémité de ses longues pattes.

— Et quand tu auras terminé, tu pourras aller t'acheter un beignet chez les Stetson. Même si je ne comprends pas pourquoi tu les aimes tant. Ils sont bien moins bons que les nôtres.

En réalité, Rose *détestait* les beignets des Stetson. Ils étaient bien trop secs et pâteux, et en plus ils avaient un arrière-goût de sirop pour la toux. Rien d'étonnant puisque le magasin s'appelait « Stetson - Beignets et Réparations automobiles »... Seulement, cela lui donnait l'occasion d'apercevoir Devin Stetson.

Devin Stetson avait douze ans, comme elle, mais il paraissait beaucoup plus âgé. Il était ténor dans la chorale de Calamity Falls. Ses cheveux blond cendré lui tombaient sur les yeux et il savait réparer les pales tordues des ventilateurs.

Chaque fois qu'il passait près d'elle dans les couloirs de l'école, elle trouvait une excuse pour baisser la tête et éviter de croiser son regard. De sa vie elle ne lui avait jamais adressé la parole que pour lui dire : « Merci pour le beignet. »

Mais dans sa tête, ils s'étaient déjà promenés le long de la rivière sur son vélomoteur, ils avaient pique-niqué au milieu d'un champ, ils avaient lu de la poésie à haute voix, ils avaient laissé l'herbe leur chatouiller les joues et s'étaient embrassés à la lueur d'un lampadaire dans le vent d'automne. Ses rêves deviendraient-ils réalité ? C'était peu probable. Pourquoi Devin s'intéresserait-il à une pâtissière ?

Rose allait remonter dans sa chambre pour s'habiller quand Céleste ajouta :

— Ah, oui, encore une chose ! Emmène ton frère avec toi.

Loin du champ de bataille de la cuisine, dans le jardin, son petit frère, Origan Bliss, sautait avec enthousiasme sur un trampoline géant en poussant des cris joyeux. Lui aussi était encore en pyjama.

Rose émit un grognement. Porter les ingrédients dans le panier avant de son vélo, d'accord, mais traîner Origan dans les magasins, ça rendait la tâche beaucoup plus compliquée.

1. À la graineterie Borzini : 1 livre de graines de pavot.

Rose et Origan appuyèrent leurs bicyclettes contre le mur de la graineterie Borzini. On ne pouvait pas la rater.

C'était la seule de tout Calamity Falls à avoir une devanture en forme de cacahouète.

Origan fonça vers le tonneau qui contenait les noix de macadamia, les plus chères, que M. Borzini importait de la lointaine Éthiopie. Le garçon y plongea les deux bras et envoya valser des dizaines de noix dans les airs, comme un jongleur fou. Il les rattrapait dans sa bouche – enfin, quelques-unes, car la plupart retombaient en pluie autour de lui.

À neuf ans, Origan avait déjà le look d'un comique prêt à monter sur scène. Une touffe de cheveux blonds aux reflets roux surmontait deux joues rebondies éclaboussées de taches de rousseur. Les arcs de ses sourcils lui donnaient un air de clown.

— Origan, pourquoi tu fais ça ? demanda Rose.

— J'ai vu Oliver jongler avec du pop-corn. Il a presque tout rattrapé.

Oliver était leur grand frère, l'aîné des Bliss. Tout le monde fondait devant sa tête aux cheveux roux ondulés et ses yeux aussi bleus que ceux d'un Husky de Sibérie. Il avait quinze ans et pratiquait tous les sports. Sans être toujours le plus grand, il était toujours le plus beau. C'était le genre capable de lancer des pop-corns en l'air et de tous les rattraper avec sa bouche. La seule chose qu'il ne savait pas faire, c'était aider à la pâtisserie. Mais ça n'avait pas l'air de gêner leurs parents. Croiser Oliver, c'était comme de piocher la carte « Vous êtes libéré de prison » au Monopoly.

Le grainetier Borzini, dont le corps avait, comme la devanture de son magasin, la forme d'une cacahouète, surgit de l'arrière-boutique en lançant avec un sourire :

— Salut, Rosie !

Mais à la vue du sol parsemé de noix de macadamia, il changea d'expression.

— Bonjour, Origan, grommela-t-il, tout à coup beaucoup moins aimable.

— Il nous faut une livre de graines de pavot, annonça Rose avec un sourire poli.

— *Prrrrrronto*[1] *!* s'écria Origan en roulant les r à l'italienne.

Oubliant d'être sévère, M. Borzini éclata de rire.

Il tendit les graines à Rose.

— Ton frère est un sacré numéro, Rosie !

Rose prit le sac en le remerciant d'un sourire. Elle aurait bien voulu qu'on la trouve aussi drôle qu'Origan. Elle était capable de faire de l'ironie, mais ce n'était pas la même chose. Elle n'avait pas non plus la beauté irrésistible d'Oliver et elle était trop grande pour être aussi adorable que la petite Nini. En revanche, elle savait faire des gâteaux, ce qui signifiait qu'elle était méticuleuse et bonne en maths. Malheureusement personne ne lui disait jamais : « Bravo ! Tu es si méticuleuse et si bonne en maths, Rose ! »

Aussi se considérait-elle comme une enfant ordinaire, une figurante dans un film où les autres étaient les héros. « Tant pis », se disait-elle avec un haussement d'épaules.

Rose plaça l'encombrant sac de jute dans le panier en métal à l'avant de son vélo. Puis elle tira son frère par la manche et ils se remirent en route.

---

1. « Tout de suite ».

— Je ne comprends pas pourquoi c'est nous qui devons aller chercher tous ces trucs, grogna Origan alors qu'ils pédalaient dans une côte. Si c'est Nini qui a tout renversé, c'est *elle* qui devrait y aller.

— Origan, elle a trois ans.

— Je ne comprends pas pourquoi il faut qu'on travaille dans cette stupide pâtisserie. Si nos parents ne sont pas capables de la faire tourner tout seuls, alors ils n'auraient jamais dû l'ouvrir.

— Tu sais bien qu'ils ne peuvent pas se passer de leurs fourneaux. Ils ont ça dans le sang, répliqua Rose, essoufflée. En plus, cette ville s'écroulerait sans eux. Tout le monde a besoin de nos gâteaux pour survivre. On rend un service public.

Même si elle ne le montrait pas, Rose se réjouissait en secret de se rendre utile. Elle aimait voir sa mère pousser un soupir de soulagement lorsqu'elle revenait avec tous les bons ingrédients. Elle adorait quand son père la prenait dans ses bras pour la féliciter d'avoir réussi une pâte sablée bien friable. Elle souriait quand les clients sifflotaient de bonheur devant leur pain au chocolat encore chaud. Et, pardessus tout, elle aimait le fait qu'un certain nombre d'ingrédients (normaux ou plus bizarres), une fois mélangés, puissent apporter aux gens un supplément de bien-être.

— Oui, j'aimerais bien avoir une copie des lois de protection de l'enfance de Calamity Falls, parce que je suis sûr que c'est pas très légal, tout ça.

Rose ralentit et fronça le nez alors qu'Origan la dépassait.

— Bah, ton odeur ne l'est pas non plus.

— Je sens pas mauvais ! C'est pas vrai ! protesta le garçon.

Puis il souleva ses bras pour vérifier.

— Bon, d'accord, je pue peut-être un peu.

2. Florence la fleuriste : une douzaine de coquelicots.

Rose et Origan trouvèrent Florence endormie dans un fauteuil confortable. Tout le monde à Calamity Falls se demandait quel âge elle pouvait bien avoir, mais on s'accordait à dire qu'elle avait au moins quatre-vingt-dix ans.

Son magasin ressemblait davantage à un salon qu'à une boutique. Les rayons de soleil qui filtraient à travers les stores éclairaient un petit canapé et un gros chat tigré allongé de tout son long devant une cheminée poussiéreuse. Des vases contenant toutes les fleurs imaginables étaient alignés devant la vitrine et des plantes bien vertes tombaient en cascade de paniers suspendus au plafond.

Rose écarta un rideau de lierre et se racla la gorge.

Florence souleva lentement ses vieilles paupières.

— Qui est là ?

— C'est Rosemary Bliss, répondit Rose.

— Ah, je vois, grommela Florence comme si le fait d'avoir une cliente l'agaçait. Qu'est-ce... que... je... peux... faire pour toi ? articula-t-elle à contrecœur.

Elle se leva péniblement et se dirigea vers les vases de fleurs en haletant et en traînant les pieds.

— Une douzaine de coquelicots, s'il vous plaît.

Florence se baissa avec un grognement pour attraper les fragiles fleurs rouges. Lorsqu'elle se redressa, elle aperçut Origan.

— C'est toi, Oliver ? Tu as l'air... d'avoir rapetissé.

Origan éclata de rire, fier d'être pris pour son grand frère.

— Oh, non. Moi c'est *Origan.* Tout le monde dit qu'on se ressemble.

— Il va me manquer, ce merveilleux Oliver, quand il partira pour l'université, ronchonna la vieille dame.

Tout le monde se demandait ce que deviendrait son frère si beau lorsqu'il serait en âge de quitter Calamity Falls. Rose, quant à elle, semblait condamnée à y rester pour l'éternité. Elle songea qu'elle finirait sans doute comme Florence la fleuriste, à dormir dans son fauteuil en pleine journée, attendant que se produise quelque chose d'étrange ou d'excitant qui ne viendrait jamais.

Mais quitter la ville, cela signifiait laisser derrière elle la pâtisserie. Et dans ce cas elle ne découvrirait jamais où sa mère cachait ses bocaux bleus d'ingrédients magiques. Elle n'apprendrait jamais à mélanger un peu de vent du nord au glaçage pour dégeler le cœur d'une âme insensible. Elle ne saurait jamais combiner à la perfection des yeux de grenouilles, du magma en fusion et du bicarbonate de soude ; un mélange qui, à en croire sa mère, avait le pouvoir de réparer en un rien de temps les os brisés.

— Et toi, Rosemary ? s'enquit Florence en emballant les coquelicots dans du papier brun. Rien de nouveau ? Un petit ami ?

— Je suis trop occupée à garder Origan, répliqua Rose d'un ton sec.

Elle n'avait pas vraiment le temps, ni d'ailleurs l'envie, de s'occuper de sa vie sentimentale. L'idée de sortir avec un garçon lui semblait bizarre et pas tellement sympa, un peu comme les sushis. Elle aurait adoré admirer la vue de Calamity Falls en compagnie de Devin Stetson du haut de la colline aux moineaux, où le vent d'automne les décoifferait et ferait bruisser les feuilles dans les arbres. Mais ça n'aurait rien d'un véritable rendez-vous amoureux.

Cela dit, c'était en pensant à lui qu'elle avait pris une douche ce matin avant de partir, en pensant à lui encore qu'elle avait démêlé ses cheveux mi-longs et enfilé son jean préféré avec son chemisier bleu orné de dentelle (juste ce qu'il fallait de dentelle). Elle n'était pas laide, c'était certain, mais elle n'était pas non plus renversante. Rose était persuadée que s'il y avait quelque chose d'extraordinaire en elle, c'était quelque part à l'intérieur, et que rien ne transparaissait sur son visage.

Sa mère semblait aussi de cet avis :

— Tu n'es pas comme les autres filles, avait-elle déclaré une fois. Tu es bonne en maths !

En quittant la boutique de la fleuriste avec Origan, le bouquet de coquelicots à la main, elle se demanda pourquoi elle ne pouvait pas être les deux à la fois : bonne en maths et jolie.

3. Le marché de Poplar : 1 kilo de pommes.

Quelques coups de pédales les amenèrent du côté de la voie ferrée et du marché de Poplar. Il y avait tant de monde à cette heure matinale que la foule qui se pressait entre les rangées de fruits et de légumes faisait penser à un bouchon sur une autoroute.

— J'ai besoin de pommes ! hurla Rose en agitant la main en l'air.

— Troisième allée ! hurla un type de derrière une montagne de pêches plus haute que lui.

Origan bloqua la route en soulevant deux grosses courges comme s'il s'agissait d'haltères.

— Mais qu'est-ce que tu fabriques ?

— Je fais de la muscu, comme Oliver, souffla-t-il.

Son visage vira au cramoisi.

— Oliver et moi, on va devenir de grands athlètes. Pas question que je fasse des gâteaux toute ma vie.

Rose saisit les courges au bout des bras tendus d'Origan et les remit à leur place sur l'éventaire.

— Mais on aide les gens, lui chuchota-t-elle à l'oreille. On est comme des magiciens de la pâtisserie.

— Si on est des magiciens, alors où sont nos baguettes, nos chouettes et nos chapeaux magiques ? Et où est notre ennemi juré ? Reviens sur terre... on n'est que des pâtissiers. Pendant que tu resteras coincée ici à faire des biscuits, Oliver et moi, on deviendra des champions et on fera de la pub pour des baskets.

Origan s'éloigna à vélo, laissant Rose en plan, les bras chargés de pommes trop lourdes pour elle.

4. La serrurerie de M. Kline : tu sais quoi faire.

Ils mirent pied à terre devant une échoppe en tôle rouillée à la sortie de la ville. Rose tendit à M. Kline la délicate clef en forme de fouet. Il l'examina à travers une loupe aussi épaisse qu'un muffin.

Il n'y avait aucune fenêtre dans la boutique, et toutes les surfaces étaient duvetées d'une fine couche de poussière, comme si le serrurier venait de rentrer d'une longue période de vacances. Rose respira par la bouche : l'air avait un goût de métal.

— Ça va me prendre une demi-heure, décréta-t-il. Tu as le temps de faire un tour.

Origan poussa un grognement, mais Rose se réjouit. La boutique de M. Kline était située en bas de la colline aux moineaux. Il suffisait de grimper la côte, et on tombait sur le magasin de la famille Stetson.

— Petit frère, dit-elle, allons là-haut nous promener un peu.

— Ah, non ! protesta Origan. Il fait trop chaud. Je vais voir s'ils ont des nouveaux parfums de bonbons à Calamity Confiserie.

— Allez ! insista Rose en l'attrapant par les épaules. Ce sera cool. On regardera la ville assis sur la barrière et on essaiera de repérer notre maison. Et puis je t'achèterai un beignet.

— Bon, d'accord, mais... c'est moi qui choisis mon beignet.

5. Stetson – Beignets et Réparations automobiles.

En arrivant au sommet de la colline, Rose était essoufflée. Le magasin des Stetson consistait en une immense bâtisse en béton décorée de pièces détachées de vieilles voitures. Des marguerites poussaient dans des pneus abandonnés et une pancarte « BEIGNETS » était accrochée à un vieux pare-choc au-dessus de la porte d'entrée.

Rose tremblait en écartant de son front une mèche de cheveux trempée de sueur. Elle était le genre de fille qui n'avait peur ni des araignées ni des VTT, ni de se brûler les doigts avec le four (et elle avait de l'expérience dans tous ces domaines). Mais entrer dans la pièce où se trouvait le garçon pour lequel elle avait un faible, *ça*, c'était effrayant.

Alors qu'elle avait enfin pris son courage à deux mains pour s'avancer vers la porte du magasin, Devin Stetson passa devant elle sur son vélomoteur. La frange blonde battant au vent, il descendit la colline en vrombissant. Apparemment, son père lui avait donné quartier libre pour la matinée.

Rose sentit son estomac se retourner comme un poisson hors de l'eau sur le pont d'un bateau, ou comme lorsqu'on s'élance un peu trop haut sur la balançoire et qu'on a l'impression de laisser ses tripes derrière soi.

Elle aurait juré qu'il lui avait jeté un coup d'œil en passant.

Origan s'était déjà perché sur le deuxième barreau de la barrière, face à la vue.

— Waouh ! Rose, regarde ça !

Redescendant sur terre, Rose courut vers Origan. Une file de voitures de police avançait dans la rue sinueuse qui traversait la ville. Du haut de la colline aux moineaux, Calamity Falls ressemblait à une toile peinte et les voitures à des entailles qu'on y aurait faites avec la lame d'un canif.

— Mais où est-ce qu'ils vont ? s'interrogea Origan, bien plus calme qu'à son habitude.

— Oh, non ! s'écria Rose en plissant les yeux. On dirait qu'ils se rendent à la pâtisserie !

2
Le Hummer de Madame le maire Hammer

— Peut-être qu'Oliver s'est fait arrêter, dit Rose.

Quelques minutes plus tard, Origan et elle abandonnaient leurs vélos dans le jardin de la pâtisserie et se précipitaient vers la porte de la cuisine, à l'arrière de la maison. Trois voitures de police formaient un barrage devant le perron et un 4×4 Hummer blanc aux vitres teintées était garé dans l'allée, comme un gros pit-bull.

Par la vitre ouverte de l'énorme engin, Rose et Origan virent un homme en uniforme bien repassé qui portait des lunettes de soleil. Il parlait dans un talkie-walkie.

— Ils sont toujours à l'intérieur, disait-il. Je les connais, ils ne sortiront pas les mains vides.

Rose grimpa sur un parpaing et jeta un coup d'œil à travers les stores de la fenêtre de la cuisine. Ses parents se tenaient d'un côté de la lourde table à découper roulante. Une dame en tailleur pantalon bleu marine très strict était debout de l'autre côté, entourée de deux hommes. Ses parents échangeaient des regards inquiets. Sa mère avait la main fermement posée sur la couverture du *Livre de recettes des Bliss*, qui reposait sur le plan de travail. Lorsqu'il était ouvert, il ressemblait à un oiseau blanc bien gras déployant ses ailes, mais, fermé, il avait l'air aussi vulnérable qu'une petite miche de pain.

« Ça y est, se dit Rose. Ils sont venus pour le livre. »

Tous les mardis soir, Albert et Céleste se rendaient au cinéma de Calamity Falls pour profiter de l'offre « deux tickets pour un » et confiaient à leur voisine, Mme Carlson, le soin de s'occuper des enfants. En partant, Albert faisait toujours la même blague :

— Ne laissez entrer personne ! C'est peut-être le gouvernement qui vient nous voler nos recettes !

Les enfants riaient, mais Rose savait que son père ne plaisantait qu'à moitié. Elle avait entraperçu certaines pages du livre où figuraient des gravures médiévales représentant des tempêtes, des incendies, des murs d'épines, un homme ensanglanté... bref, des recettes qu'on ne voudrait pas voir tomber entre de mauvaises mains.

Origan rejoignit sa sœur, mais sa tête n'arrivait pas à la hauteur de la fenêtre.

— Qu'est-ce qui se passe ? demanda-t-il.

— Ils vont prendre le livre de recettes, dit-elle d'une voix éraillée tant elle avait la gorge serrée.

Elle observa le four en fonte en nid d'abeilles, les rangées de placards en cerisier à la douce patine, les multiples étagères et les crochets en métal qui descendaient du plafond au centre de la pièce, auxquels étaient suspendues des spatules et des cuillères de toutes les tailles, le gigantesque batteur électrique dans le coin dont le bol était tellement grand que Nini pouvait (et il lui arrivait de le faire) y grimper, ainsi que l'outil aussi énorme que la rame d'une barque, aux airs de perceuse géante, qui servait à malaxer la pâte. En regardant tout ce que ses parents avaient construit, aussi modeste que cela puisse paraître, elle laissa échapper un sanglot.

Elle imagina ses parents enfermés dans une cellule malpropre, ses frères mendiant dans les rues et le pays gouverné par une mafia de pâtissiers tyranniques se servant de leurs muffins et de leurs tartes comme d'armes de destruction massive.

— Je les en empêcherai, marmonna Origan, et il se rua vers la porte de la cuisine.

Il l'ouvrit avec fracas et hurla :

— Mes parents n'ont rien fait de mal !

Albert et Céleste se retournèrent pour faire taire Origan, mais c'était trop tard. La dame en tailleur fit signe à Origan et Rose d'entrer.

— Je m'appelle Janice Hammer, dit-elle. Je suis le maire de Humbleton.

Et elle se fendit d'un sourire. Même si ce n'était pas la dame la plus sympa du monde, elle n'était pas là pour leur prendre leur livre, pensa Rose avec soulagement.

— Mais qu'est-ce que la police fait là ? s'enquit Rose.

— Ce sont des voitures que j'ai fait peindre, ce ne sont pas de vraies voitures de police. Dedans, il y a mes collègues du conseil municipal. L'un d'eux est fleuriste, l'autre avocat, et il y a un plombier, qui nous accompagne quand il n'a pas de toilettes à déboucher.

— Ce n'est pas illégal de se déguiser en policier ? s'informa Origan.

Mme Hammer répondit d'un ton tranquille :

— Je suis venue demander de l'aide à tes parents pour combattre une grippe terrible qui se répand dans Humbleton. Je n'en ai jamais vu de pareille... c'est comme la peste. Les poubelles débordent de Kleenex. Les pharmacies n'ont plus de sirop contre la toux. Le médecin a déguerpi, terrifié, pour se réfugier dans son appartement en Floride. Ah la la, quelle poule mouillée, celui-là !

Albert et Céleste émirent un petit rire nerveux.

— Je ne savais plus quoi faire. Et puis je me suis souvenue des croissants aux amandes de tes parents. Les gens sont convaincus qu'ils font tomber la fièvre et guérissent le nez qui coule. Alors je suis venue les supplier de m'en faire quarante douzaines.

Mme Hammer se tourna vers Albert et Céleste.

— Je sais que je vous les demande dans un délai très court, hélas je n'ai pas le choix.

— On aimerait vous aider, lui assura Céleste en se tordant les mains. Mais quarante douzaines de croissants dans cette cuisine... impossible ! Nous n'avons qu'une modeste pâtisserie familiale.

— Venez à Humbleton, dans ce cas ! proposa Mme Hammer. On pourrait préparer de la nourriture pour un régiment dans la cuisine de la mairie. Vous ferez vos croissants aux amandes là-bas. Et vous pourriez aussi nous faire du cheesecake à la citrouille.

— Du cheesecake à la citrouille ? répéta Albert en fronçant les sourcils.

La jeune femme ouvrit sa mallette en cuir et en sortit une coupure de journal jaunie provenant de la *Gazette de Calamity Falls*. Elle lut à voix haute :

— « Un garçon de dix ans grippé mange un cheesecake à la citrouille de chez Bliss. Il guérit miraculeusement. »

Albert s'essuya les mains sur son tablier.

— Ah ! Ce serait merveilleux ! Mais c'est une légende. Ce garçon n'avait rien, il voulait juste ne pas aller à l'école.

Les parents de Rose n'avaient jamais admis devant quiconque, à part leurs enfants, que leurs pâtisseries étaient magiques.

— Si les gens étaient au courant pour la magie, disait toujours Céleste, alors tout le monde voudrait de nos produits, et notre modeste magasin se transformerait en une énorme usine. Ça gâcherait tout !

Si parfois on remarquait les effets miraculeux de leurs cookies, de leurs gâteaux ou de leurs tartes, Albert et Céleste haussaient les épaules et déclaraient que ce n'était là que l'effet bénéfique d'une recette réalisée à la perfection.

Mais Rose se souvenait du cheesecake à la citrouille. En haut de l'escalier, un soir après la fermeture, elle avait observé ses parents mélanger des ingrédients provenant de plusieurs bocaux bleus. Elle avait vu un nuage de fumée violette s'échapper du saladier et tournoyer au-dessus de la tête de sa mère. La mixture avait grésillé puis explosé. Des étincelles roses, vertes et jaune canari s'en étaient échappées.

Elle aurait donné n'importe quoi pour pouvoir cuisiner ainsi ! Ce type de pâtisserie inspirait le respect, même si cela devait rester secret.

Mme le maire tapa du pied.

— Je me fiche de savoir si ce cheesecake guérit vraiment les malades ou pas. Les gens l'aiment, et si ça les fait se sentir mieux, c'est tout ce que je demande.

— Et... pendant combien de temps auriez-vous besoin de nous ? demanda Céleste d'une voix aussi douce et sucrée qu'un cookie aux pépites de chocolat.

— Pas plus d'une semaine, répondit le maire.

Albert secoua la tête.

— Je suis navré, madame le maire, mais en vingt-cinq ans, nous n'avons jamais fermé la pâtisserie pendant plus d'une journée. Il est hors de question que nous partions une semaine entière.

Mme Hammer fit un signe à un de ses adjoints qui lui tendit un chéquier. Elle y griffonna quelques chiffres et montra le chèque à Albert et Céleste. Ils échangèrent un coup d'œil sidéré, comme si quelqu'un venait de sortir un lapin d'un chapeau. Un lapin hors de prix, incrusté de diamants.

— Tous ces zéros ! s'exclama Albert.

Céleste, gênée, se tourna vers le maire.

— C'est d'accord...

— Oh ! C'est fantastique ! s'exclama Mme Hammer en détachant le chèque et en le tendant à Céleste.

Céleste déchira le bout de papier en mille morceaux.

— Vous ne m'avez pas laissée finir ! On le fera... *gratuitement.*

Un grand sourire s'afficha sur le visage de Rose. Ses parents auraient pu être les pâtissiers les plus riches du monde, des grands chefs d'entreprise en costume gris, qui ne boivent que du champagne et se baladent en voiture de luxe, tout comme madame le maire, mais ils préféraient vivre simplement, dans de petites chambres au-dessus de la cuisine étroite de leur modeste pâtisserie.

Mme Hammer se pencha par-dessus la table à découper et serra Albert et Céleste contre elle.

— On vous emmène dès que vous serez prêts, dit-elle. Je vous attends dans mon Hummer.

Rose tambourina sur la porte d'Oliver et d'Origan. Une pancarte écrite à la main affichait : HEURES DE VISITE : 15 h – 16 h.

— Oliver ! cria Rose. Papa et maman s'en vont ! Descends, *s'il te plaît* !

Il n'était que onze heures du matin et Oliver émergeait rarement de son antre avant le milieu de l'après-midi. Rose entrouvrit la porte. Oliver avait suspendu un drap pour séparer son coin de celui d'Origan. Bien sûr, Oliver se cachait derrière. Rose vit une chaussette blanche dépasser : le pied de son grand frère.

Elle tira le rideau et tapa du doigt sur le large dos nu.

— Oliver.

Son frère grogna :

— T'as intérêt à avoir une bonne excuse pour me déranger. Tu m'as réveillé au milieu d'une partie de basket.

— Papa et maman s'en vont pour une semaine. C'est *nous* qui allons devoir nous occuper de la pâtisserie !

Ces mots étaient à peine sortis de la bouche de Rose qu'elle s'imagina tournoyant comme une ballerine dans la cuisine, vêtue du tablier à carreaux bleus et blancs de sa mère, feuilletant le *Livre de recettes des Bliss*, tamisant la farine, faisant fondre du chocolat et y ajoutant les larmes d'une jeune fille au cœur brisé, une fiole contenant le dernier souffle d'un homme bon, ou une pincée de poudre amère concoctée avec la cendre des feux de camp de l'été. Qui savait ce qu'elle devrait utiliser ? Puis elle tournerait la manivelle pour relever le paratonnerre secret qui servait parfois à alimenter le four principal. Et, comme ça, elle ferait de la magie.

Il arrivait à Rose de râler lorsque ses parents la priaient de les aider, mais c'était parce que rien de ce qu'on lui demandait ne touchait à la vraie sorcellerie. La véritable magie, celle qui sortait des bocaux bleus, voilà ce qui valait le coup !

— Sérieux ? s'étonna Oliver en se redressant. C'est génial !

— Je sais ! opina Rose. On va enfin pouvoir vraiment cuisiner !

— Rectification, *mi hermana*[1], se moqua Oliver qui se servait d'expressions espagnoles à toutes les sauces, en prévision du jour où il deviendrait une star du skate à Barcelone. *Tu* vas pouvoir cuisiner. *Moi*, je vais pouvoir me détendre.

Albert ferma les volets de toutes les fenêtres de la cuisine et Céleste alluma une bougie. Rose se dit qu'il devait

1. Ma sœur.

en être ainsi quand on devenait membre d'une société secrète. Elle se leva, attendant les instructions de ses parents. Oliver, appuyé sur la table à découper roulante, la tête dans les mains, bâillait d'ennui.

— Nous ne vous laissons pas de gaieté de cœur, déclara Céleste, mais nos voisins ont besoin de nous. On a demandé à Chip de venir tous les jours, cette semaine, mais comme il ne peut pas à la fois confectionner les gâteaux *et* tenir la caisse, on va avoir besoin de vous plus que d'habitude.

Rose frissonna de plaisir quand Albert saisit le *Livre de recettes des Bliss*.

— Commençons par le commencement, dit-il en ouvrant la lourde porte d'acier de la chambre froide et en y entrant, le livre à la main.

Rose et Oliver suivirent leur père le long d'un étroit couloir bordé de briques de lait, de plaquettes de beurre, de boîtes d'œufs, de paquets de pépites de chocolat, de sacs de noix de pécan... L'ampoule qui se balançait au-dessus de leurs têtes diffusait une faible lueur.

Le bout du couloir était barré par une tapisserie verte délavée.

Rose l'avait aperçue maintes fois en déchargeant les cartons d'œufs après une expédition à la ferme. Ses motifs l'avaient toujours fascinée. Aussi épaisse qu'un tapis persan, elle était recouverte de délicates broderies : un homme malaxant de la pâte, une femme ranimant le feu dans un four, un enfant en chemise de nuit dégustant une part de gâteau, un vieil homme chassant des lucioles avec un filet à papillons, une fillette tamisant doucement un nuage de sucre au-dessus d'un glaçage.

Céleste posa la main sur l'épaule de Rose.

— Ma chérie, as-tu la clef dont tu as fait faire un double ce matin ?

Rose tapota la poche de sa veste et en sortit deux clefs argentées : celle, un peu ternie, que lui avait confiée sa mère, et la nouvelle, toute brillante, qu'ils avaient récupérée chez M. Kline sur le chemin du retour. Elle les tendit à son père. Il empocha l'ancienne puis souleva la tapisserie, révélant une petite porte en bois usé au verrou en fonte – le genre de porte qu'on construisait autrefois quand les gens étaient plus petits. Il introduisit les dents délicates de la nouvelle clef-fouet dans la serrure, qui avait la forme d'une étoile à huit branches, et tourna vers la gauche.

La porte s'ouvrit en grinçant. Albert s'avança et tira sur une vieille chaîne en cuivre. Une ampoule poussiéreuse s'alluma au-dessus d'eux.

Rose resta bouche bée devant la minuscule pièce aux murs recouverts de boiseries, pas plus grande qu'un placard, pleine de trésors médiévaux. Son regard s'arrêta sur le portrait d'un homme mince et moustachu vêtu d'une longue robe couleur aubergine. En bas du cadre, elle réussit à lire, dans une écriture gothique presque indéchiffrable : « Hieronymus Bliss, Premier Sorcier Pâtissier ». Un peu plus loin, il y avait une gravure. Le portrait d'une femme en tablier servant un gâteau décoré à la table du roi avec cette inscription : « Artemisia Bliss, Pâtissière, décorée par Charles II ». Sur une photographie sépia, un homme et une femme se tenaient par la main devant une pâtisserie. À côté était encadrée une coupure de journal datant de 1847 : « Les pâtissiers Bliss arrivent dans le Lower East Side pour nourrir les immigrants ».

Tous les quatre, ils observaient ces antiquités en silence à la lueur vacillante de la bougie de Céleste.

— Votre mère et moi, on appelle cette pièce la bibliothèque. Même s'il n'y a ici en réalité qu'un seul livre. Mais ce livre est plus important que tous ceux de toutes les bibliothèques de la région réunies.

Même Oliver était impressionné.

— Je parie que t'es content d'être un Bliss, n'est-ce pas, papa ?

Albert hocha la tête.

En épousant Céleste, il avait adopté le nom de sa femme, au lieu que ce soit elle qui adopte le sien comme le voulait la tradition.

— Qui voudrait garder un nom comme Albert Hogswaddle, dit-il, quand on peut devenir Albert Bliss ?

Albert posa le *Livre de recettes des Bliss* sur un pupitre poussiéreux. Non sans mal, à cause de la petite taille du réduit, les enfants se placèrent autour.

— Le livre reste ici. Personne ne l'ouvre, personne ne le déplace. Rose, je te confie la clef de la bibliothèque.

Il glissa la clef-fouet sur une ficelle, fit un nœud, puis la tendit à Rose qui, l'espace d'un instant, se demanda comment sa mère avait su d'avance qu'elle aurait besoin d'une seconde clef. Puis elle n'y pensa plus : sa mère *savait*, un point c'est tout. La prescience était l'un de ses talents de magicienne.

Rose accrocha la clef-fouet autour de son cou. Elle se sentait euphorique.

— Mais n'ouvre *jamais* cette porte, la mit en garde Albert avec un air grave. Sauf s'il y a le feu. Dans ce cas essaie avant tout de sauver le livre. Je le répète : n'ouvre pas la porte. Pas de magie. Compris ?

L'enthousiasme de Rose se dégonfla comme un ballon de baudruche. « Pas de magie ? Mais pourquoi ? »

— Tic-tac, les amis ! hurla Mme le maire depuis son Hummer. La grippe se répand pendant qu'on attend !

Albert souffla et s'essouffla en traînant les huit énormes valises de cuir dans l'allée avant de les charger dans le gigantesque véhicule tout-terrain. Dans la première, il y avait des vêtements, mais les autres contenaient des bocaux de cannelle de Madagascar, d'ailes de fées lyophilisées, de sucres noirs spécialement importés de Croatie, de murmures de médecins capturés au chevet des malades et de centaines d'autres ingrédients, des communs comme de très mystérieux.

Céleste rassembla ses enfants devant le perron.

— Rose et Oliver, vous aiderez Chip à la cuisine.

Oliver laissa échapper un grognement.

— Pourquoi je dois aider ? C'est le domaine de Rose.

Céleste caressa la belle joue hâlée de son aîné.

— Je sais que tu peux y arriver, Oliver. Origan, continua-t-elle, je compte sur toi pour donner un coup de main à ta sœur.

— Mais bien sûr ! Je serai *très* utile, ironisa Origan en lançant à Rose un clin d'œil malicieux.

Rose soupira. Chaque fois qu'Origan s'était mis en tête d'aider, il n'avait cessé de se plaindre et de réciter l'alphabet en rotant.

— Mme Carlson viendra cet après-midi. Elle s'occupera de Nini toute la semaine. Soyez gentils avec elle et écoutez ce qu'elle vous dit.

— Elle me casse les oreilles avec son accent écossais ! protesta Origan. Elle s'endort tout le temps en prenant des bains de soleil ou en regardant la télé. En plus, elle sent bizarre.

— Ce n'est pas très gentil de dire ça, le gronda Albert. Mais... tu n'as pas tort. Rose, s'il te plaît, garde un œil sur Nini, au cas où Mme Carlson piquerait du nez.

Céleste, deux grosses larmes roulant sur ses joues, adressa un sourire tendre à ses enfants avant de monter à bord de l'impressionnant engin.

— Je vous aime tous ! proclama-t-elle.

— Attends ! s'écria Nini. Photo !

Céleste éclata de rire.

— D'accord. Madame le maire, pourriez-vous appuyer sur le bouton, si cela ne vous dérange pas trop ? C'est pour un portrait de famille.

Avec un soupir d'exaspération, Mme Hammer prit d'un geste brusque le Polaroid des mains tendues de Nini, le pointa vaguement vers la tribu Bliss et appuya sur le bouton.

Puis Céleste et Albert embarquèrent dans l'énorme voiture et firent claquer la portière. Le Hummer s'éloigna, suivi de son escorte de fausses voitures de police.

Rose se tourna vers Oliver. Elle aurait bien voulu lui dire qu'elle était contente de passer du temps avec lui sans leurs parents, mais son grand frère s'éloignait déjà à grands pas.

— Mes vacances commencent officiellement..., annonça-t-il en appuyant sur un bouton de sa montre-bracelet, *maintenant*!

« Et voilà », se dit Rose tristement. C'était toujours pareil. Même dans une situation exceptionnelle, ses frères l'ignoraient complètement.

Origan sautait sur le trampoline.

Nini tira sur le chemisier de Rose.

— Rosie-Posie ! SOS ! hurla-t-elle.

— Qu'est-ce qu'il y a, Nini ?

— Une limace ! J'ai marché dessus !

Nini souleva sa basket pour lui montrer une limace écrasée, toute gluante.

Rose enleva la chaussure de Nini, jadis blanche mais désormais couleur gadoue, et frotta la semelle sur l'herbe jusqu'à ce que la limace s'en détache.

Nini examina le gastéropode en écarquillant ses grands yeux noirs. Tout le monde disait que Nini était le portrait craché de Rose – cheveux noirs et frange, yeux noirs, minuscule bout de nez – en plus petite et plus mignonne. En réalité elle avait un visage beaucoup plus rond, et ça, ce n'était pas une question d'âge.

— On l'enterre ? demanda Nini.

— Tu y tiens vraiment ? soupira Rose.

Nini fit oui de la tête et tendit le Polaroid à Rose : Céleste et Albert souriaient de toutes leurs dents en entourant de leurs bras le superbe Oliver, l'hilarant Origan et l'adorable Nini. Rose, elle, se tenait sur le côté, tellement sur le côté qu'on ne voyait que son épaule.

Rose rendit la photo à Nini d'un geste impatient et se résigna à reprendre sa routine ingrate.

3
Une mystérieuse visite

Rose trouvait l'idée de travailler avec Chip bien plus terrifiante qu'une limace écrasée.

Chip était l'assistant pâtissier de Céleste depuis toujours, du moins dans les souvenirs de Rose. Il était déjà à la fenêtre de la cuisine, le regard perdu au loin, plus loin que la limace, plus loin que la balançoire, plus loin même que Calamity Falls. Chauve et tout bronzé, il avait l'air de sortir d'un magazine de muscu.

La seule conversation que Rose avait jamais eue avec Chip concernait les petites plaques d'identification en métal qu'il portait autour du cou.

— Tu étais dans l'armée, Chip ? avait-elle demandé.

— J'étais dans les Marines, avait-il grogné.

— Alors pourquoi tu travailles dans une pâtisserie ?

Il s'était accroupi pour que son visage soit au même niveau que celui de la petite fille. Sa respiration était lourde, son regard fixe.

— J'aime bien faire des gâteaux, avait-il murmuré.

Rose s'imagina la semaine à venir. À côté d'elle se dresserait la masse énorme du torse ciselé de Chip pendant qu'ils consulteraient *Les Recettes de Papy Brossard*, un livre de cuisine d'une banalité affligeante qu'Albert et Céleste avaient confié à Chip avant de partir.

— Tiens, Chip, tu te serviras de ces recettes.

Il avait reniflé bruyamment.

— Et votre livre si spécial ?

— Celles-là sont plus faciles à faire, avait décrété Céleste en lui tendant un livre de poche dont la couverture affichait un gâteau marbré ennuyeux à pleurer.

Rose était très vexée de ne pas pouvoir utiliser le grimoire de recettes magiques en leur absence.

C'était si injuste ! Elle avait consacré toute sa vie à cette pâtisserie !

Rose se levait tous les jours plus tôt pour aider ses parents à tout mettre en place pour la journée. Les autres enfants de son âge restaient au lit. Rose rentrait toujours juste après l'école parce qu'il lui fallait aider à nettoyer la cuisine. Et elle ne se plaignait jamais, dans l'espoir qu'un jour elle aussi pourrait devenir une pâtissière-magicienne. Aujourd'hui, ses parents lui refusaient la seule chose qu'elle ait jamais voulue : le droit de faire de la magie.

Rose était également chargée de s'occuper de sa petite sœur quand personne d'autre ne voulait le faire. Rose baissa la tête. Nini était en train de creuser un trou avec ses mains afin d'enterrer la limace.

— Je ne suis pas d'humeur pour un enterrement, déclara Rose. Viens, je vais te pousser sur la balançoire.

Nini abandonna la limace et bondit vers la balançoire qu'Albert avait bricolée l'année précédente. La planche, que les moisissures rendaient verdâtre, était tout humide.

Les chaînes rouillées grincèrent sous le poids de la petite fille.

— Plus fort!

Nini tentait de monter de plus en plus haut dans les airs en pliant et dépliant ses jambes dodues.

— Plus haut, Rosie, plus haut!

Nini portait toujours la même tenue: un tee-shirt rayé rouge et blanc avec un serre-tête assorti, le tout très sale. Lorsqu'ils devenaient vraiment raides de crasse, maculés de boue, de taches de jus de fruits et de feutres, Rose entrait sur la pointe des pieds dans la chambre de Nini pendant qu'elle dormait et les lui dérobait l'espace de quelques heures pour les passer à la machine.

« Est-ce que je n'ai pas mérité de pouvoir faire un peu de magie? pensa Rose. Serai-je un jour récompensée pour toutes ces heures de courses en ville et de baby-sitting? »

Une minute plus tard, Rose entendit le bruit étouffé d'une moto. La pétarade se rapprochait lentement de la maison. Dans sa poitrine, son cœur se mit à battre comme un gros crapaud enfermé dans une boîte à chaussures. Elle ne connaissait qu'une seule personne en ville se déplaçant à moto (ou du moins à vélomoteur), et cette personne n'était autre que Devin Stetson.

Elle réfléchit à toute vitesse à ce qu'elle lui dirait s'il venait à s'arrêter devant chez eux.

« Salut. Ça va? Moi, c'est Rose. On se connaît? Qu'est-ce que tu fais devant chez moi? »

Il lui répondrait qu'il avait aperçu des voitures de police et qu'il s'était inquiété pour elle. Puis il lui dirait qu'il cherchait le marché en plein air de Poplar parce que son père voulait se lancer dans le beignet aux myrtilles.

« Je sais où c'est, lui dirait-elle. Je vais te montrer. »

Elle grimperait à l'arrière de sa mobylette, ses genoux se calant dans le creux des siens. Elle poserait le menton sur son épaule. Ses cheveux blonds agités par le vent fouetteraient son visage. Même s'ils venaient à heurter un rocher et qu'elle se retrouvait dans le fossé avec deux jambes cassées, ça vaudrait le coup.

Mais Rose n'était pas comme les autres filles de son âge. Elle avait des responsabilités.

La moto s'arrêta bel et bien dans l'allée. Mais ce n'était pas le vieux vélomoteur rouge de Devin Stetson. C'était un superbe engin noir et luisant décoré d'une tête de taureau, avec une selle argentée et de belles cornes pointues en guise de guidon. Une silhouette féminine entièrement gainée de cuir noir en descendit et s'adossa au monstre.

Le cœur de Rose se mit à battre encore plus fort. Il y avait déjà eu trop de personnages mal intentionnés devant leur maison aujourd'hui !

Elle se retourna pour voir si Chip était toujours à la fenêtre de la cuisine. S'il le fallait, l'assistant pâtissier serait capable de vaincre n'importe qui en combat rapproché. Mais le visage de Chip n'était plus là.

Rose se plaça devant Nini pour la protéger.

La silhouette souleva son casque noir de ses mains gantées et hérissées de pointes d'acier.

C'était une jeune femme élancée, la plus grande, la plus élégante et la plus impressionnante que Rose avait jamais vue en dehors d'un écran de cinéma. Ses sourcils noirs étaient bien marqués, son nez était droit et ses cheveux sombres coupés court. Elle avait beaucoup d'allure. Ses lèvres étaient peintes d'un rouge vif et ses dents blanches brillaient au soleil. C'était le genre de femme qu'on voyait sur les affiches publicitaires. Le type de femme que Rose aurait secrètement voulu devenir plus tard.

— Ah ! s'exclama-t-elle. De l'air frais ! Une petite ville ! J'*adore* la campagne !

Elle pencha la tête en arrière pour lancer vers le ciel un petit rire joyeux, puis ôta son blouson de cuir et le jeta sur son engin. Elle portait un chemisier en dentelle bleu, qui ressemblait beaucoup à celui de Rose.

— Tu dois être Rosemary ! dit la femme en se dirigeant vers la balançoire.

Elle désigna du doigt le chemisier de Rose.

— Regarde ! On est jumelles !

Nini bondit de la balançoire et se rua dans la cuisine, laissant Rose agrippée aux chaînes rouillées.

— N'aie pas peur, mon petit ! C'est seulement moi, ta tante Lily !

L'inconnue vêtue de cuir noir lui souriait en découvrant sa denture de neige. Rose pouvait-elle être de la même famille que cette femme… éblouissante ? Elle ressemblait plus à un top model qu'à une tata.

Rose se souvint alors de l'arbre généalogique qu'elle avait dessiné pour un exposé en CE2. Elle y avait inscrit son nom et celui de ses frères et sœur : Anis, Origan, Rosemary, Oliver, puis, au-dessus, ses parents : Albert Hogswaddle, Céleste Bliss. Du côté de son père, il y avait tante Alice, tante Janine, et l'étrange oncle Lewis. Du côté de sa mère : personne. En tout cas pas la moindre Lily. N'empêche, ce nom lui disait quand même quelque chose...

— Est-ce que ta mère est là ? demanda la dame en noir. Oh ! Cette chère Céleste Bliss m'a manqué !

Rose choisit la prudence.

— Ma mère ne m'a jamais dit qu'elle avait une petite sœur.

Lily s'esclaffa.

— Je ne suis pas vraiment ta *tante*, expliqua Lily. L'arrière-arrière-arrière-grand-père de ta mère, Filbert Bliss, avait un frère appelé Albatross, qui était mon arrière-arrière-arrière-grand-père, alors on doit être... cousines au cinquième degré ou un truc comme ça ! Mais *tante Lily*, ça sonne bien, tu ne trouves pas ?

Rose tenta de se représenter l'arbre familial et de se souvenir s'il y avait un Albatross et un Filbert, mais l'arbre se transforma vite en un gros buisson touffu.

— Bref, j'ai entendu dire que mon amie Céleste avait eu un enfant ! Et qu'elle avait ouvert une pâtisserie.

— Quatre... Quatre enfants, corrigea Rose, sa main en visière sur ses yeux pour ne pas être éblouie par le soleil. Oliver, Origan, Nini... et moi, je suis Rosemary.

— Eh bien, Rosemary, on dirait que je suis un peu en retard !

Lily retira ses gants, doigt par doigt.

— Tu vois, moi aussi je suis pâtissière ! J'ai même publié un livre. Enfin, auto-édité. Mais c'est la même chose ! Et j'avais ma propre émission de radio pendant un temps : *La louche à Lily*. Tu as dû en entendre parler.

Rose n'avait jamais entendu parler de *La louche à Lily*, mais elle se rappela tout à coup où elle avait entendu ce nom. C'était il y avait très longtemps. Un soir, après le dîner, elle aidait son père à faire la vaisselle lorsque le téléphone avait sonné. Céleste avait répondu – une de ces conversations où sa mère écoutait plus qu'elle ne parlait, adossée au comptoir de la cuisine, enroulant et déroulant le cordon entre ses doigts.

Lorsqu'elle avait raccroché, Rose et Albert l'avaient regardée, s'attendant à ce qu'elle leur dise de quoi il s'agissait.

— C'était *Lily*, s'était-elle contentée de dire.

Albert avait écarquillé les yeux.

— Elle nous a retrouvés, avait précisé Céleste. Elle veut nous rendre visite.

Albert avait fait la grimace.

— Tu as dit non, j'espère?

— Bien sûr.

— C'est qui, Lily? avait demandé Rose.

— Personne, avait répliqué Céleste en montant l'escalier.

Ensuite, il n'avait plus jamais été question de Lily...

Rose redescendit sur terre.

— Maintenant que j'y pense, j'ai entendu parler de vous. Ma mère vous a parlé au téléphone. Elle ne voulait pas que vous veniez nous voir, l'informa Rose.

Son cœur battait de plus en plus fort dans sa poitrine.

— Pourquoi est-ce qu'elle ne voulait pas vous voir? ajouta Rose.

Lily haussa les sourcils.

— Il y a très, très longtemps, Albatross, mon arrière-arrière-arrière-grand-père, s'est violemment disputé avec

Filbert, ton arrière-arrière-arrière-arrière-grand-père, et maintenant, Céleste ne veut plus me parler. C'est trop dommage. Alors, je suis venue pour renouer les chaînes !

— Vous voulez dire… les liens, rectifia Rose.

— Oui, c'est ça ! dit Lily avec un sourire. Écoute, mon chat, je sais que tu ne me crois pas, mais je suis ta cousine éloignée ! Ou ta tante ! C'est la même chose ! Tiens, je vais te le prouver.

Lily se retourna et fit glisser un côté de son chemisier bleu pour dévoiler son omoplate, aussi fine et délicate qu'une aile de papillon. Rose plissa les yeux et aperçut une tache de naissance : une grosse goutte au bout d'une traînée sombre qui se finissait en crochet.

Rose avait la même sur le côté d'une de ses jambes. Nini l'avait sur le cou et Céleste sur le bras. Oliver et Origan l'avaient sur le ventre. Ils avaient tous la même.

— Tu vois, ma chérie ?

Origan sortit en trombe de la cuisine pour voir de plus près le gros taureau noir qui avait atterri dans l'allée. En voyant la marque sur l'épaule de Lily, il hurla :

— Elle a la louche !

Lily l'attrapa au vol, le souleva de terre puis le reposa en disant :

— Tu dois être Origan, ça rime avec ouragan !

Origan pouffa de rire et fit la grimace.

— Mais vous, vous êtes *qui* ?

Lily lui frotta le nez avec l'index.

— Je suis ta tante Lily ! se présenta-t-elle avec une révérence. Et je suis là pour me réconcilier avec ma famille !

4

Tante Lily à la rescousse

— Ma mère n'est pas là, annonça Rose en tirant sur son chemisier.

Tante Lily s'avança vers sa moto et en décrocha une valise en tweed ainsi qu'un petit sac en forme de bûche dont le velours côtelé changeait de couleur selon l'angle sous lequel on le regardait.

— On dirait que j'arrive au bon moment, Rose ! fit remarquer Lily. Il n'y a rien de mieux que de venir à la rescousse des enfants pour convaincre leurs parents qu'on est prêt à faire des efforts pour se réconcilier. Non ?

Rose trouvait toute cette histoire plutôt bizarre. Si seulement ses parents avaient pu se matérialiser tout à coup dans le jardin… si par exemple ils avaient oublié leurs sous-vêtements…

Hélas, rien de tel ne se produisit.

— Vous devriez peut-être revenir quand mes parents seront là, suggéra Rose.

Lily prit un air de chien battu.

— Moi qui pensais me rendre utile… à la pâtisserie.

Elle raccrocha tristement ses bagages à l'arrière de sa moto.

— Je vois bien que tu veux que je m'en aille.

— Roooose! hurla Origan. T'es malade ou quoi? Tu peux pas renvoyer notre tata! Enfin, *elle a la louche*!

« Oui, c'est ça, se dit Rose, c'est le mot juste, cette femme est *louche*, carrément. » Elle observa d'un œil méfiant la star pâtissière qui se proposait de les aider. Puis elle jeta un regard à Origan, son unique sous-chef, lequel choisit pile ce moment pour se fourrer le doigt dans le nez. Il y aurait bien trop de travail pour elle et Chip seuls, et elle avait l'intuition qu'Oliver, Origan et Nini ne mettraient pas les pieds dans la cuisine. De plus, cette dame en noir la fascinait au point qu'elle ne pouvait détacher son regard d'elle.

— Attendez! s'exclama Rose. Je... c'est vrai que votre aide ne serait pas de trop.

— Ouais! Youpi! s'écria Lily. Je sais exactement ce que nous allons faire pour le dîner!

« Ce que *nous* allons faire pour le dîner. » Rose nota avec satisfaction qu'elle avait dit « nous » au lieu de « je ».

Mme Carlson débarqua un peu plus tard dans l'après-midi. Ses courts cheveux blonds emprisonnés dans des bigoudis, elle était moulée dans un top à paillettes et des leggings blancs trop étroits. Une télé portable se balançait au bout de son bras. Dans l'autre main, elle avait une boîte de porridge et un sac en plastique contenant quelque chose qui ressemblait à un estomac et qui sentait bien pire.

Origan se boucha le nez.

— C'est quoi, *ce truc*?

— Je vais fairrre du haggis, annonça Mme Carlson avec son accent écossais à couper au couteau. Le haggis, c'est du porridge bouilli dans de la panse de brrrebis. Ça te fera pousser des poils sur le torrrse.

Origan ferma les bras sur sa poitrine.

— C'est très gentil à vous, madame Carlson, mais ce ne sera pas nécessaire, intervint Rose, un peu gênée.

Mme Carlson pencha la tête de côté.

— Et pourrrquoi donc?

— En fait, répondit Rose, notre tante est venue nous rendre visite, et elle a déjà commencé à préparer le dîner.

— Ton père ne m'a pas parlé d'une tante! répliqua Mme Carlson avec un froncement de nez.

Rose prit un air vague. Elle se sentait un peu gênée.

— Il… il avait oublié. Mais elle est là maintenant. Et elle va nous faire à manger toute la semaine.

Mme Carlson s'avança vers la poubelle en métal, souleva le couvercle et y laissa choir l'estomac de mouton.

— Bien. De toute façon, je n'étais pas d'humeurrr pour une panse de brebis farcie.

Étant donné que tout le rez-de-chaussée de la maison était consacré à la pâtisserie, les Bliss passaient leurs soirées serrés autour de la table de la cuisine : deux bancs de bois clair recouverts de coussins en cuir rouge se faisaient face de part et d'autre d'une table en cerisier verni surmontée d'un vieux chandelier en fer forgé à l'allure médiévale. Toute la famille s'y rassemblait pour le petit déjeuner, le déjeuner et le dîner. Parfois, ils y restaient après le repas pour une interminable partie de cartes et ils essayaient de ne pas se donner des coups de coude en piochant.

Avant le dîner, les garçons tapèrent sur la table avec leur couteau et leur fourchette en braillant : « Li-ly, Li-ly ! » Nini, carrément perchée sur la table, se tenait accroupie comme une grenouille, les genoux au niveau des oreilles. Mme Carlson était écrasée entre Oliver et Origan, son sac en cuir serré contre sa poitrine.

— Un vrai zoo, cette famille ! s'exclama-t-elle.

Rose haussa les épaules. Ses frères et sa sœur étaient si turbulents qu'elle avait l'impression d'être invisible.

Cela faisait une heure que tante Lily s'activait dans la cuisine. Elle avait troqué sa tenue de cuir noir contre une robe légère de coton blanc qui, en plus de la grandir, lui donnait un air propre et élégant, même au milieu d'une cuisine étroite et fumante. Elle vint enfin poser un énorme plat orange au centre de la table.

— *Paella valenciana* ! cria-t-elle. C'est du riz à l'espagnole. J'ai appris cette recette quand j'étudiais la guitare classique dans les environs de Barcelone.

Devant eux se dressait une montagne de riz teintée de safran et piquée de morceaux de poulet, de saucisses rouges épicées et de créatures maritimes curieuses mais visiblement comestibles.

— Ça m'a l'air *delicioso, tía*[1] Lily ! s'exclama Oliver.

Ce dernier refusait généralement de manger autre chose que des coquillettes au beurre et de la réglisse. Mais ce soir-

1. Tante.

là, il portait une chemise repassée et ses cheveux luisants de gel se dressaient en épis sur sa tête. Rose en avait déduit qu'il s'était fait beau en l'honneur de la dame magnifique qui occupait leur cuisine.

— J'adore les fruits de mer ! dit Lily. Mon père ramenait souvent des moules, des crevettes et des palourdes à la maison. C'était un pêcheur.

— Alors, dans ta partie de la famille, ils ne sont pas pâtissiers ? s'enquit Rose.

Après tout, la « marque de famille » que Lily portait sur son épaule n'était peut-être pas une louche, mais un hameçon.

— Ils ont essayé..., commença Lily. Mais ils n'avaient pas... ce qu'il fallait. Alors ils ont tous emménagé en Nouvelle-Écosse et sont devenus pêcheurs. Moi, ça ne me convenait pas. Alors je me suis enfuie sur ma moto pour devenir une grande actrice à New York.

— Je suis allée là-bas une fois, coassa Mme Carlson entre deux bouchées de riz. On m'a volé mon sac, puis un pigeon m'a fait vous savez quoi sur la tête.

Les enfants Bliss éclatèrent de rire.

— Oui, je reconnais bien là New York, opina Lily en s'éventant avec sa main. Quand je suis arrivée, j'ai descendu Broadway sur Trixie – c'est ma moto. Je me sentais si libre, si vivante, si belle ! Et puis je me suis rendu compte que je n'avais nulle part où habiter, et qu'il ne me restait plus que deux dollars. Alors je me suis acheté un hot-dog et je suis allée le manger dans Central Park.

— J'aurais fait exactement la même chose, *tía* Lily, déclara Oliver de sa voix la plus grave.

Rose n'avait jamais vu son frère aussi poli et aimable. En plus, il donnait du *tía* à cette inconnue, comme s'ils s'étaient connus toute leur vie.

— Mais oui ! s'écria Lily. Parfois, il faut savoir prendre le temps d'un hot-dog. Alors, voilà, je me promenais sur la Soixante-Dixième Rue, et il commençait à faire noir. J'ai levé la tête et j'ai aperçu un adorable magasin de cupcakes avec des volets blancs et des rideaux jaunes tout mignons. Il y avait une affichette indiquant qu'ils recherchaient une assistante. Je suis entrée et j'ai dit : « Je vous aiderai gratuitement si vous me laissez dormir dans la cuisine. » Ils ont accepté. C'est là que j'ai appris la pâtisserie.

— Je pourrai aller avec toi à New York quand tu y retourneras ? roucoula Origan.

Nini se leva et se mit à sauter à pieds joints sur la table en chantant :

— New York ! New York !

— Je t'emmènerai peut-être à New York un jour, dit Lily en posant une main sur le dos de Nini pour la calmer.

Mme Carlson faisait une grimace affreuse.

— Mais je n'ai pas l'intention d'y remettre les pieds de sitôt. Je suis en train de créer ma propre émission de télé, vous savez ? Ça va s'appeler *30 Minutes de Magie*. C'est pour ça que je voyage à travers le pays : pour récolter les meilleures recettes, celles qui valent la peine d'être partagées avec le monde entier.

— Rose ! s'exclama Origan comme s'il venait d'avoir une soudaine inspiration. On n'a qu'à lui montrer le livre !

Rose se raidit.

— Quel livre ? répliqua-t-elle sèchement.

Si Lily espérait leur voler leurs recettes magiques, elle se fourrait le doigt dans l'œil.

— Oh, tu veux dire *les livres*! continua Rose. Les livres de comptes. Origan pense que cela vous intéresserait de voir comment on fait tourner notre commerce.

Lily haussa les épaules avec un sourire.

— Non, ça va. Je suis pâtissière, pas mathématicienne!

Rose lança à son petit frère un regard courroucé auquel il répondit en lui tirant la langue.

Le lendemain matin, Rose trouva Oliver en train de passer la serpillère dans le hall de la pâtisserie. Avec son pantalon à pinces noir, sa chemise classique blanche et sa veste noire, il était habillé comme un serveur de restaurant.

— Tu es debout... à cette heure! s'exclama-t-elle, stupéfaite. Non mais qu'est-ce qui cloche chez toi?

Oliver jeta des regards inquiets autour de lui.

— Rien! Je nettoie, c'est tout.

— Et depuis quand tu sais te servir d'une serpillère?

— Je veux juste aider notre tante, souffla-t-il.

Rose se demanda si elle aurait dû faire un effort spécial du côté vestimentaire. Contrairement aux autres filles de l'école, qui portaient des jeans de marque et des vestes incrustées de strass sur des hauts colorés hors de prix, Rose n'avait jamais fait attention à ce qu'elle avait sur le dos. Pour commencer, tout ce qu'elle portait finissait par se salir: taches de beurre, d'huile, de farine ou d'autres ingrédients qui traînaient dans la cuisine des Bliss. De toute façon, ce n'était pas un nouveau manteau qui lui donnerait des allures de star de cinéma. Devin Stetson ne la remarquerait pas davantage. Elle aurait juste l'air d'en faire trop.

Mais à côté de tante Lily et de ses vêtements fabuleux, Rose se sentait comme un rat des champs et était tentée de courir s'acheter une nouvelle tenue.

Elle poussa les portes battantes qui séparaient l'espace réservé à la vente de la cuisine. Chip se tenait dans un coin et battait des œufs en neige à l'aide d'un fouet.

— Ah, les Marines ! s'exclama Lily en agitant en l'air des doigts recouverts de grumeaux jaune pâle.

Vêtue d'une petite robe d'été rouge à pois blancs, elle était en train de malaxer une pâte.

— Tu sais, Rose, j'ai été chef pâtissière sur un bateau de croisière pendant une année entière !

Au nom de Rose, Chip leva la tête.

— Bonjour, ma petite Rosie ! dit-il d'un air affable qu'elle ne lui connaissait pas.

Lily posa sa longue main fine sur l'épaule musclée de l'aide pâtissier.

— Chip, mon ange, Rose et moi avons besoin d'être seules un moment. Va donc prendre un café et te détendre un peu.

Chip poussa un soupir ravi et s'éclipsa.

Rose resta bouche bée. Comment tante Lily avait-elle réussi à amadouer ce râleur de Chip ? Et son frère aîné qui était en train de *faire le ménage* ? Il y avait quelque chose chez tante Lily qui vous électrisait. Elle donnait envie aux autres d'être tirés à quatre épingles et de faire preuve de savoir-vivre. Quel était son secret ?

— Tu veux bien m'aider avec ça ? demanda Lily en lui tendant un bol d'œufs en neige et une cuillère.

Elles disposèrent des petits tas de blancs d'œufs sur une plaque de cuisson. Lily travaillait rapidement et sans effort, virevoltant telle une ballerine. Son visage affichait un air serein et concentré : les lèvres un peu serrées, les sourcils légèrement froncés.

— Alors, Rose, que veux-tu faire dans la vie ? demanda Lily.

Rose leva les yeux au plafond. Personne ne lui avait jamais posé cette question. Parfois, elle ne pensait qu'à faire des gâteaux, mais, de temps en temps, elle avait envie de hurler dès qu'elle posait les yeux sur un muffin. Parfois, elle voulait fuir Calamity Falls, puis elle se disait que, si elle partait, son cœur se dessécherait jusqu'à devenir une petite noix dure et noire qui cesserait de battre.

— Je suis pas sûre, dit-elle.

Lily enfourna les meringues.

— Moi, je veux faire le tour du monde et rencontrer le plus de gens possible. Je ne comprends pas comment on peut faire la même chose tous les jours, se rendre aux mêmes endroits, voir les mêmes personnes. Ça me *tuerait*.

Rose frissonna. Tante Lily venait juste de décrire sa vie à elle, Rose Bliss.

— Pourtant, c'est réconfortant de faire les mêmes choses et de voir les mêmes gens, protesta Rose en jetant un coup d'œil dans l'entrée.

Oliver était en train de retourner l'écriteau FERMÉ pour afficher OUVERT. Il y avait déjà la queue dehors.

— Tu vois tous ces gens ? Je les connais tous.

— Parle-moi d'eux, dit gentiment Lily.

— D'accord. Tu vois le type qui a un pull avec des grenouilles dessus, celui qui est déjà au comptoir ? Le premier arrivé ?

Lily hocha la tête.

— C'est M. Phibien, le charpentier.

M. Phibien avait des cheveux blancs hirsutes et une moustache noire. Rose se l'était toujours imaginé comme un cousin d'Albert Einstein. Son pull était orné de dizaines de grenouilles.

— Il prend un muffin aux carottes tous les matins.

— Et cette petite dame derrière lui, avec les cheveux pointus ? s'enquit Lily.

Cette dame était si petite que Lily ne voyait que ses cheveux, une masse grisâtre qui s'élevait en deux pointes de chaque côté de sa tête, comme des oreilles de loup.

— C'est Mlle Chardon, ma prof de bio. Elle est amoureuse de M. Phibien. Et je crois qu'il l'aime aussi. Ils ne se parlent jamais.

— Un amour secret ! s'exclama Lily. Comment le sais-tu ?

— Un jour, M. Phibien est venu en cours de bio pour nous montrer des photos de ses grenouilles. Mlle Chardon arrêtait pas de le regarder avec un sourire serein, et il détournait tout le temps son regard d'elle. Mais on voyait bien qu'il tenait à ce qu'elle ne se rende pas compte de ce qu'il ressentait.

Rose connaissait très bien cette technique. Elle l'utilisait chaque fois que Devin Stetson passait à côté d'elle dans le couloir.

Lily se tourna vers Rose, les larmes aux yeux.

— J'ai un secret à t'avouer, dit-elle en se penchant vers Rose. Je n'ai pas vraiment grandi en Nouvelle-Écosse. Mon père était militaire et on déménageait tous les ans. Je suis de nulle part, en fait. Voilà pourquoi je ne comprends pas comment on peut vivre à un seul endroit toute sa vie.

Lily secoua la tête et ferma les yeux. Quand elle les rouvrit, son grand sourire était revenu.

— Ça me semble si ennuyeux ! C'est comme si tout le monde ici était coincé et ne pouvait jamais changer.

— Tu parles aussi de ma mère ? dit Rose, attristée.

Lily passa son bras autour des épaules de Rose.

— Écoute... ta mère a fait un choix. Elle a du talent. Elle aurait pu devenir une star. Au lieu de quoi, elle a échoué ici.

Lily sourit de nouveau.

— Toi aussi, tu as du talent, Rose. Je le vois. Tu dois simplement décider de ce que tu veux en faire.

Rose commençait à comprendre l'étrange phénomène qui avait touché Oliver et Chip. Cette femme avait quelque chose de si grandiose qu'elle pouvait rivaliser avec les licornes. Et puis elle trouvait toujours le mot juste.

Oliver cria depuis le comptoir :

— *Tía* Lily ! Il faut plus de croissants !

Lily prit *Les Recettes de Papy Brossard* avec sur la couverture le gâteau marbré banal à pleurer.

— C'est ça que ta mère utilise ? Je pensais qu'elle se servait de quelque chose de plus... spécial.

— Non, juste ça, répondit Rose, mal à l'aise. Des recettes ordinaires. Maman y ajoute simplement une pincée d'amour.

Le temps s'écoula rapidement, avec Lily aux fourneaux. Comme toujours, Nini courait partout dans la cuisine, mais au lieu de trébucher sur elle comme le faisait Céleste et de faire tomber les ingrédients par terre, Lily l'évitait avec de gracieux entrechats. Elle réussit même à la calmer tout à fait.

— Nini, mon petit, j'ai besoin que tu me répartisses les raisins en groupes de dix. Dix dans chaque moule à muffin. Tu t'en sens capable ?

Nini dodelina de la tête et s'asseyant à même le sol, elle déposa un à un les raisins secs dans leurs compartiments, jusqu'à ce qu'elle se mette en boule et s'endorme contre le frigo.

Au comptoir, Oliver souriait aux clientes qui s'extasiaient sur son impeccable tenue. Chip faisait des aller-retour de la cuisine au comptoir tel un serveur dans un restaurant cinq étoiles, droit comme un I, une main dans le dos, un plateau de cookies ou de gâteaux levé bien haut au-dessus de sa tête. Il avait l'air si triste quand arriva la fin de son service que Lily l'invita à dîner.

Ce soir-là, Mme Carlson fut consternée de trouver toute la maisonnée assise en tailleur sur une couverture dans le jardin. Chip et Lily découpaient un gigot d'agneau de la taille d'un radiateur.

— Alorrrs, quel étrrrange mets allons-nous déguster ce soirrr ? Un curry ? dit-elle d'un ton rendu encore plus sarcastique par son accent écossais.

— Non, madaaaame ! roucoula Origan. C'est un gigot avec du *tâtes-y-qui* !

— *Tzatziki*, corrigea Lily en riant. C'est une sauce au yaourt greque.

Nini, assise sur les genoux de Chip, mangeait un bout de viande. Origan et Oliver essuyaient leur bouche pleine de sauce avec leur manche. En fin de compte, dès que Mme Carlson mordit dans un morceau d'agneau, elle put à peine contenir sa joie. La viande était aussi tendre que du beurre. Rose observait la scène, incrédule. En moins de deux jours, sa tante avait orné de sourires les visages renfrognés des Bliss.

Nini souleva l'appareil Polaroid qui était toujours passé à son cou et prit une photo de tante Lily.

Quand tout le monde eut terminé son assiette, Lily se rendit dans la cuisine et revint avec une tarte jaune pâle.

— Je vous ai concocté un dessert fantastique !

Le sourire de Rose s'évanouit. Elle détestait la tarte au citron.

— Beurk ! Du citron ! glapit Origan comme en écho à ses pensées.

— Non, non ! s'écria Lily. Pas au citron. Je *déteste* la tarte au citron ! Non, je vous assure, vous n'avez jamais rien goûté de pareil ! leur assura-t-elle en découpant des parts avec un grand couteau. C'est une recette d'Albatross, mon arrière-arrière-arrière-grand-père.

Rose observa la tranche dans son assiette. Seule la partie supérieure était jaune. Au-dessous, il y avait plusieurs strates de pâte pourpres et bleues qui chatoyaient comme des écailles de saumon. Lorsqu'elle mordit dedans, le gâteau à la texture fondante répandit dans sa bouche un doux arôme sucré-salé. En effet, elle n'avait jamais rien goûté de pareil.

La fratrie resta silencieuse, savourant chaque bouchée de cette sublime tarte et ne songeant qu'à la faire durer.

— Vous voyez, c'est le genre de recettes que j'essaie de récolter partout dans le monde, expliqua Lily. Des recettes véritablement uniques.

Le téléphone sonna à l'intérieur de la maison, mais tout le monde était trop concentré sur la tarte pour se laisser distraire. Même Mme Carlson dégustait sa part avec une expression d'extase.

Nini, qui, de son côté, s'était désintéressée de la tarte dès la première bouchée, s'élança vers la cuisine et décrocha le vieux téléphone noir à cadran. Elle hurla par la porte :

— Maman au téléphone. Oliver, viens parler à maman !

Elle laissa le combiné se balancer au bout de son cordon contre le mur de la cuisine et courut les rejoindre dans le jardin.

Oliver se leva en grommelant.

Lily l'attrapa gentiment par le poignet.

— Termine ta part, Oliver. Je ne veux pas de gaspillage.

Oliver sourit à la vue des longs doigts élégants de tante Lily posés sur son bras. Comme un chien obéissant, il finit sa tarte avant de se diriger d'un pas tranquille vers la cuisine, en transe. Il attrapa le combiné et le posa mollement contre son oreille.

Rose l'entendit répondre de la voix mécanique qu'il avait toujours au téléphone :

— Salut… Bien… Non, rien de nouveau.

Mais c'était complètement faux ! Tante Lily était apparue. C'était de loin le plus grand événement de toute l'histoire de Calamity Falls !

Rose avait envie de raconter l'arrivée de tante Lily à ses parents, pour être sûre qu'elle avait pris la bonne décision en l'invitant à rester. Elle se dit qu'elle irait leur parler juste après cette bouchée, puis juste après la suivante. Elle ne parvenait pas à s'arrêter de manger, tant et si bien qu'Oliver raccrocha et revint s'asseoir dans le jardin.

— Comme d'habitude…, annonça Oliver. Ils voulaient juste nous dire de bien nettoyer la cuisine et de nous coucher pas trop tard, blablabla.

Tante Lily le fit taire en approchant une fourchette pleine de tarte de sa bouche. Puis, en silence, ils en dégustèrent jusqu'à la dernière miette, léchèrent tous les ustensiles, jusqu'à ce que la moindre trace ait disparu, à croire que la tarte n'avait jamais existé.

Tous les soirs avant d'aller au lit, les quatre enfants Bliss se réunissaient dans la petite salle de bains au papier peint vert à motif floral pour s'adonner à un rituel qu'ils nommaient « l'heure de la brosse ». Les frères et sœurs se serraient autour du lavabo en porcelaine blanche, vêtus de leurs pyjamas, et se brossaient les dents en même temps.

Oliver débarqua dans la salle de bains torse nu, vêtu de son short de foot bleu, et passa vaguement sa brosse sur sa langue. Nini barbouilla sa bouche de dentifrice puis cracha. Seule Rose se brossa correctement les dents : de la gencive aux pointes, deux fois, à l'intérieur puis à l'extérieur.

Origan, assis dans le petit fauteuil à bascule près de la baignoire à pattes de lion, les bras croisés sur la poitrine, faisait la moue.

— Qu'est-ce qui ne va pas, Origan ? lui demanda Rose en aidant Nini à essuyer le dentifrice sur ses lèvres, son nez et ses joues.

Mais elle connaissait déjà la réponse. Comme tous les autres, il pensait à leur « tante » Lily qui, en cet instant même, occupait la chambre d'amis au sous-sol.

— Pourquoi est-ce qu'on ne peut pas montrer le livre à Lily ? Elle a besoin de recettes pour son émission ! Et puis quand elle sera célèbre, on pourra aller la voir et devenir célèbres nous aussi !

Oliver cracha vivement dans le lavabo.

— Je suis de l'avis de petit frère. Elle a besoin de notre aide. Je crois qu'elle adorerait le livre.

Les mots de Lily résonnèrent dans la tête de Rose : *Toi aussi, tu as du talent, Rose... Tu dois simplement décider de ce que tu veux en faire.* Elle baissa les yeux sur la clef en forme de fouet qui pendait à son cou.

— On ne peut pas. J'ai promis.

— Super ! hurla Origan. Alors, juste parce que t'as peur de papa et maman et que tu fais tout ce qu'ils disent, tante Lily doit souffrir ? La merveilleuse et généreuse tante Lily ? Qui nous a fait de la paella et a passé toute la journée dans la pâtisserie à nous aider ? Qui nous a préparé un dessert unique, meilleur que tout ce que papa et maman ont jamais fait avec leur livre de recettes débile ?

— Mais on ne la connaît même pas ! s'écria Rose.

Pourquoi son désir de prendre la décision la plus raisonnable faisait-il toujours faire la grimace à ses frères ?

Et puis, Rose pensa à quelque chose : si, au lieu de montrer le livre à Lily, elle copiait quelques recettes et les lui mettait sous le nez ? Ensuite, s'ils faisaient toujours confiance à leur tante à la fin de la semaine, ils lui montreraient le livre. Ainsi, Rose pourrait pratiquer un peu de magie et montrer à ses frères qu'elle n'était pas complètement coincée. Dans plusieurs années, elle l'avouerait à sa mère autour d'une tasse de thé. Et Céleste exploserait de rire et lui dirait : « Oh, Rose, tu es vraiment une fille responsable ! Je crois que tu es prête à prendre la direction de la pâtisserie. »

Rose se réjouissait d'avance de cette scène pleine de tendresse entre sa mère et elle. Finalement, elle dit à ses frères :

— Je suis d'accord, à la condition de seulement copier quelques recettes du livre. On les apprend par cœur. On les lui enseigne. Ainsi, elle pensera que c'est juste une recette normale avec des ingrédients bizarres. Il ne faut surtout pas lui parler du livre !

Les garçons approuvèrent.

— Lily va être ravie ! renchérit Oliver.

Rose reposa sa brosse à dents ainsi que celle de Nini.

— Bon. On n'a qu'à se retrouver derrière la chambre froide demain matin avant qu'elle se réveille et on copiera quelques recettes.

Les frères Bliss se tapèrent dans la main, puis passèrent un bras autour des épaules de leur sœur. Pour la première fois de sa vie, Rose eut le sentiment qu'ils appartenaient pour de bon à la même famille.

— Mais je vous préviens, j'ai un mauvais pressentiment, ne put-elle s'empêcher de dire.

Oliver et Origan étaient trop occupés à faire leur danse de la victoire pour l'entendre. Elle emporta Nini dans ses bras comme un bébé. Après avoir bordé sa petite sœur dans ses draps rouges, Rose murmura :

— À ton avis, je fais une erreur, Anis Bliss ?

Mais Nini dormait déjà.

5

Le grimoire

Le lendemain à l'aube, en chemise de nuit, Rose descendit dans la cuisine sur la pointe des pieds. Elle était si heureuse à l'idée de faire de la magie, qui plus est avec ses frères, que l'enthousiasme l'emportait sur le mauvais pressentiment qui ne la lâchait pas depuis son réveil.

Dehors, sur fond de ciel gris pâle, un rideau de gouttelettes de pluie dégoulinant sur les vitres empêchait de voir dans le jardin. Rose distinguait à peine la forme noire de la moto de Lily devant la maison. Nini dormait encore, et, dans la cage d'escalier, Rose avait entendu les ronflements puissants de Mme Carlson. Quant à tante Lily, vu que tout était silencieux au sous-sol, elle devait toujours être endormie.

Oliver était assis à la table, vêtu de son éternel short de foot bleu et d'un débardeur blanc. Il portait sur la tête le casque du talkie-walkie vert qu'il avait reçu pour un anniversaire.

— Bienvenue, Rosemary, dit-il en l'invitant à s'asseoir. Tu es pile à l'heure.

Il enfonça un bouton de son appareil et parla dans le micro :

— Coriandre, tu peux venir. Viens, Coriandre.

Rose entendit la voix d'Origan dans les écouteurs :

— Coriandre à Feuille de Laurier, je suis là. Terminé.

Rose leva les yeux au ciel.

— Vous avez choisi d'autres noms de plantes pour vos noms de code ?

— Ouais ! cria-t-il, survolté. Feuille de laurier à Coriandre, Feuille de Laurier à Coriandre, Rosemary est là. Veuillez vous rendre au quartier général, Coriandre.

— Et pourquoi j'ai pas de nom de code, moi ? demanda Rose.

— Mais t'es déjà une plante ! Tu crois que ça veut dire quoi, *Rosemary* ? s'esclaffa Oliver.

— Trop fort, Oliver !

Origan fit son entrée en dérapant sur ses chaussettes. Il avait passé une veste noire sur son pyjama et chaussé des lunettes de soleil. Rose songea que ses frères avaient l'air de s'être déguisés en espions pour une fête costumée. Elle ricana quand Oliver lui tendit des écouteurs. Origan jeta un regard soupçonneux autour de lui, puis s'avança à pas de loup vers la table.

— Voilà ce qu'on va faire, déclara Oliver.

Distrait un instant par son reflet dans la vitre de la fenêtre, le bel Oliver se recoiffa en quelques pichenettes.

— On entre, on copie les recettes, et on se casse. C'est simple, facile et *sans dommage collatéral*. Je lirai à voix haute. Vu que Rose a la plus belle écriture, elle prendra les notes.

— Et moi ? glapit Origan.

Rose et Oliver échangèrent un regard.

— Tu liras par-dessus mon épaule pour vérifier que je prononce correctement, proposa Oliver.

Origan hocha la tête, content de se voir assigner un rôle de premier plan.

Rose ouvrit la porte de la chambre froide et les trois espions se faufilèrent dans le couloir sombre. Le souffle de Rose se condensait dans l'air glacial pour former de petits nuages. Soudain l'ampoule au-dessus d'eux clignota avant de s'éteindre, les plongeant dans un noir total. Ils étaient incapables de distinguer les œufs du fromage, ni un mur de l'autre.

— Flippant, murmura Origan.

Rose sentit sous sa main tendue la surface rugueuse de la portière en tapisserie au bout du couloir. Elle la souleva, puis chercha à tâtons la serrure et y inséra la délicate clef en forme de fouet. La porte de la bibliothèque s'ouvrit.

Bien que Céleste ne lui eût jamais permis de lire le contenu du *Livre de recettes des Bliss*, Rose estimait avoir mérité, après toutes ces heures à faire les courses et à surveiller ses cadets, de partager avec ses parents ces secrets de famille antédiluviens.

— On doit choisir les recettes les plus spectaculaires, précisa Origan en caressant du bout des doigts la couverture en cuir gravée de motifs dignes de la façade d'une cathédrale.

Oliver poussa Origan et ouvrit lui-même le livre.

Rose regarda par-dessus son épaule.

— Attends ! dit-elle. Trouve donc la recette de muffins au pavot que maman faisait l'autre jour.

Ils tombèrent sur une illustration représentant une cuisine aux murs couverts de boiseries. Une vieille dame en bonnet et tablier tirait du four une plaque de muffins joufflus tandis que, à quatre pattes, un gentleman coiffé d'un chapeau à larges bords et d'un manteau en fourrure brodé pleurait en frappant du poing le parquet.

Sur la page d'en face se trouvait la recette.

Elle n'avait rien d'une recette ordinaire, avec la liste des ingrédients et les instructions étape par étape. Cela ressemblait plutôt à une histoire.

Oliver la lut à voix haute.

Gâteaux au pavot rouge
À la recherche des objets perdus

En l'an de grâce 1518, sur l'Île aux Écumes, en Écosse, Lady Gresnil Bliss, arborant son tablier rouge, aida Lord Fallon O'Lechnod, l'éternel distrait, à retrouver sa cape. « Elle est incrustée de rubis et doublée de fourrure de furet ! Je l'ai égarée il y a déjà deux semaines. C'est un coup de mes ennemis », lui avait déclaré Lord Fallon. Lady Bliss lui confectionna ces gâteaux, et, en les mangeant, Lord Fallon se rappela avoir posé sa précieuse cape sur sa chaise lors d'un dîner chez l'archevêque Pierrod deux semaines plus tôt.

— Mais qu'est-ce que ça veut dire, tout ça ? demanda Origan.

Oliver se tourna vers son petit frère.

— Ça veut dire que notre arrière-arrière-arrière-arrière grand-ché-pas-quoi a aidé un homme riche à se rappeler qu'il avait oublié son manteau à un dîner.

Oliver poursuivit tandis que Rose écrivait frénétiquement dans son cahier.

Gresnil Bliss mit deux poignées de farine aussi pure que de la neige dans un saladier en bois, cassa un œuf de poule dans la farine et perça le jaune d'or avec le petit doigt de sa main GAUCHE en chuchotant par trois fois **«Oublietto Desoletto»**.

Puis elle mélangea une cupule de graines noires à une cuillerée de lait de vache en murmurant **«Souviendo Reviendo»**. Elle versa le lait sur la farine et fit tourner cinq fois la cuillère en fer dans le sens des aiguilles d'une montre. Après avoir saupoudré la mixture de salive d'éléphant, elle souffla dessus. Pour finir, au centre de chaque gâteau, elle plaça un pétale de coquelicot.

Cela continuait ainsi pendant un moment.

Il soufflait un vent du nord. Elle enfourna les gâteaux dans un four CHAUD comme sept flammes, le TEMPS de six chansons, puis les servit à Lord Fallon O'Lechnod. Une lueur verte brilla dans les yeux du Lord. Il se rendit chez l'archevêque. Sa cape y était.

— J'ignorais que les recettes étaient... comme ça, remarqua Rose.

Elle parcourut ses notes.

— Une cupule de graines noires ? Chaud comme sept flammes ? Le temps de six chansons ? Je n'ai aucune idée de ce que ces mesures signifient.

Elle regarda ses frères d'un air désespéré.

Oliver jeta un coup d'œil à sa montre.

— Il est sept heures. Chip ne va pas tarder. Il faut qu'on se grouille. On n'a qu'à juste les copier, on se débrouillera après.

Une demi-heure plus tard, Rose, Origan et Oliver émergèrent de la réserve secrète avec cinq recettes retranscrites mot pour mot : ils allaient pouvoir passer la semaine à se livrer à de passionnantes expériences.

En sortant de la chambre froide, ils aperçurent par la fenêtre de la cuisine une silhouette violette devant la maison.

— Qui ça peut bien être ? chuchota Rose.

Ils entrouvrirent la porte pour regarder.

C'était tante Lily, en pantalon à paillettes et débardeur violets. Elle était en train de resserrer un boulon de sa moto à l'aide d'une clef à molette nickelée. Ses cheveux courts brillaient sous la pluie.

— Qu'est-ce qu'elle fait debout si tôt ? se demanda Rose tout haut.

Ses frères se ruaient déjà dehors pour saluer tante Lily. Rose resta sur le seuil. Elle ne voulait pas mouiller sa chemise de nuit. Ses frères ne s'étaient jamais précipités comme ça pour lui dire bonjour…

Lily laissa tomber son outil et ouvrit les bras pour serrer Oliver et Origan contre son cœur.

— Pourquoi vous êtes-vous levés si tôt ? Et ce talkie-walkie, c'est pour quoi faire ?

Origan et Oliver échangèrent un regard gêné. Origan sourit, mais Oliver ôta ses écouteurs.

— Oh, on était juste en train de rigoler avec Origan, expliqua-t-il. Des trucs de garçons.

— Ha ha ! fit Lily.

Et, apercevant Rose sur le seuil, elle ajouta gaiement :

— Rose ! Bonjour !

— Et toi, pourquoi tu es déjà debout, tante Lily ? s'enquit Rose, soupçonneuse.

Le sourire que lui adressa Lily était tellement énorme qu'il découvrit ses gencives.

— Je n'arrive jamais à me lever après sept heures. Bon, je me suis dit que ce serait plus facile si j'emmenais l'un de vous faire les courses sur Trixie, dit-elle en caressant le guidon en forme de cornes de sa moto-taureau. Qui veut venir ? Les pentes, c'est plus facile à monter à moto !

Origan leva la main bien haut et se mit à sauter sur place à pieds joints.

— Moi, moi, moi, moi !

Oliver resta impassible, même si Rose savait très bien qu'il bouillait intérieurement de faire un tour.

Lily tendit un casque noir à Origan. Le petit garçon attacha la sangle sous son menton avant de sauter à l'arrière de la moto.

— Après, ce sera ton tour, lança Lily à Oliver en appuyant ses paroles d'un clin d'œil.

— Ouais ! Super ! Cool ! dit Oliver avant de retourner vers la cuisine. Pardon, *mi hermana*, dit-il en pilant devant sa sœur.

Mais Rose refusa de lui céder le passage.

— C'est quoi, ton problème, frangine ?

Adossée au chambranle, elle tendit le bras en travers de la porte et planta ses yeux dans les belles mirettes émeraude de son grand frère.

— Il y a quelque chose de bizarre chez tante Lily. Elle est louche, crois-moi. Pourquoi se lèverait-elle à l'aube rien que pour bricoler sa moto ? Et comment ça se fait qu'elle veuille régler un problème vieux de deux cents ans comme par hasard la seule et unique semaine où nos parents sont absents ?

Oliver repoussa le bras de Rose.

— Tu te fais des films, Rose. T'es juste jalouse parce que t'as pas de moto, tu fais pas 1,75 m et t'es pas super canon.

Rose était trop jeune pour se sentir concernée, mais elle fut quand même vexée. Elle savait très bien qu'elle ne serait jamais aussi belle que tante Lily. Oliver n'avait pas besoin de le lui rappeler.

— Je vais enfiler une tenue plus présentable, annonça Oliver en montant l'escalier quatre à quatre.

Rose poussa un soupir. « C'est vrai que je dois être jalouse, se dit-elle. Je suis jalouse du rire éclatant de tante Lily, de ses vêtements de reine et de sa vie parfaite. »

En traînant les pieds, elle repartit dans le couloir ténébreux de la chambre froide, releva la tapisserie et secoua la poignée de la porte de la bibliothèque une nouvelle fois pour s'assurer qu'elle était bien verrouillée.

Puis, alors qu'elle s'apprêtait à quitter la pièce, elle aperçut un petit point brillant sur le sol. Elle se pencha pour le ramasser.

C'était une paillette violette, comme celles qui étaient cousues sur le pantalon de Lily.

Lily était entrée dans la chambre froide ce matin-là. De plus en plus louche…

6

Recette numéro un : les Muffins de l'amour

Rose, prise de panique, ouvrit à la volée la porte d'Oliver et Origan. Le panneau HEURES DE VISITES dégringola au sol. Oliver était en train de refermer le rideau qui séparait la chambre en deux.

— Tu sais pas lire ? Il est quinze heures, là, peut-être ?

Il fouilla dans une pile de vêtements pour en extraire un pantalon de treillis froissé.

— C'est pas le moment, Oliver ! s'écria Rose. Regarde ce que je viens de trouver par terre dans la chambre froide !

Elle posa la paillette au bout de son doigt comme si c'était une coccinelle et la fourra sous le nez de son frère.

— Et alors ? dit-il en bâillant.

— *Et alors !* Tante Lily nous *espionnait* ! Pendant qu'on était en train de copier les recettes ! Je t'ai dit qu'il y avait quelque chose de louche chez elle !

— Tu n'as pas pensé, *mi hermana*, se moqua Oliver, qu'elle voulait peut-être juste du lait pour son café, et que comme tous les gens normaux dans ce pays, le lait, on le garde au froid ?

Il étala son pantalon sur son couvre-lit et tenta d'en lisser les plis du plat de la main.

— Du café ? répéta Rose. Elle s'est préparé du café ?

— Ouais ! opina Oliver.

Il se leva.

— Regarde, elle a même laissé la tasse dehors.

Rose regarda par la petite lucarne qui donnait sur le jardin. Posée sur le gravier, une tasse pleine de liquide brun avait été abandonnée.

— Peut-être..., murmura songeusement Rose.

Puis elle rangea la paillette dans la poche arrière de son pantalon, au cas où Lily aurait vraiment des mauvaises intentions et où elle devrait fournir des preuves à la police.

— Tu es pâtissière, Rose, lui rappela Oliver. Pas détective.

— Bien, conclut Rose. Alors, au travail.

Elle posa son cahier sur le sol tandis qu'Oliver enfilait son pantalon sur son short de foot.

— La recette des Muffins de l'amour n'a pas l'air trop compliquée, dit-elle en pointant du doigt son cahier.

Muffins aux courgettes
À bas les obstacles à l'amour

— Des courgettes ? dit Oliver en imitant le bruit de quelqu'un qui vomit.

Rose lut ce qu'elle avait écrit :

En l'an de grâce 1718, dans un village d'Angleterre du nom de Gosling's Wake, Sir Jasper Bliss réunit deux âmes esseulées, celle du veuf James Corinthian *et celle de la couturière Petra Bidulboum, l'un et l'autre trop affligés et timides pour oser approcher les flammes brûlantes de l'amour. Jasper livra à chacun une fournée de ces muffins aux courgettes, puis attendit à quelques pas de la boutique de Petra Bidulboum. Deux heures plus tard, le veuf James Corinthian courut à la porte de Petra Bidulboum qui l'invita à prendre le thé. Le mois suivant, ils étaient mariés.*

— Ohhh ! se moqua Oliver. C'est comme une version préhistorique de M. Phibien et de Mlle Chardon.

— C'est vrai, approuva Rose. Tu sais comment on devrait tester cette recette ? On pourrait faire deux muffins, et en donner un à M. Phibien et un à Mlle Chardon quand ils viendront aujourd'hui. On verra bien s'ils tombent amoureux !

Oliver fit une drôle de grimace : on aurait dit qu'il venait de mordre dans un citron.

— On ne pourrait pas trouver des personnes encore plus moches à marier ?

— C'est bien de toi, ça, grogna Rose. Écoute, ce type porte un pull tout plein de grenouilles. À ce stade, la magie est son seul espoir. Est-ce qu'on a tout ce qu'il nous faut pour la recette ?

Oliver lut la recette à voix haute.

Sir Jasper Bliss râpa une grosse courgette en psalmodiant par trois fois les noms des deux âmes esseulées, passa au tamis de fer une poignée de farine plus une poignée de sucre et versa lentement sur le tout deux cupules d'extrait de vanille de Tahiti. Puis il incorpora à la pâte un œuf d'Inséparable masqué, *Agaponis personata*, que sir Jasper avait eu par un mage qui les récoltait au cœur de la forêt primitive de Madagascar.

Rose leva la tête vers Oliver.

— Où est-ce qu'on va bien pouvoir trouver un œuf d'Inséparable masqué ? Tu crois qu'il faut qu'on aille jusqu'à Madagascar ?

Oliver se renfrogna.

— J'en sais rien... Papa et maman ont tout plein de trucs bizarres. Ils ont probablement des œufs de dinosaure.

Ils se rendirent dans la chambre froide pour inspecter les œufs. Rose ouvrit un carton sur lequel était marqué : DES ŒUFS DE POULE POUR UNE CUISINE QUI ROULE ! À l'intérieur étaient rangés une douzaine d'œufs ordinaires, certainement pas ceux d'un Inséparable masqué (quelle que soit l'allure de ces oiseaux).

— C'est quoi, ce truc ? dit Oliver.

Rose se mit sur la pointe des pieds pour apercevoir ce que lui montrait son frère. Derrière les œufs se trouvait une petite poignée en forme de rouleau à pâtisserie.

— Cool ! dit-il. J'adore ces machins !

Il fit tourner la poignée avec force, et un souffle glacial pénétra dans la chambre froide, déjà bien assez fraîche comme ça. Rose sentit de la chaleur se dégager au niveau de ses chevilles. Elle baissa la tête et constata qu'une partie du carrelage avait pivoté, révélant un escalier qui descendait dans une cave.

Un passage secret ! Rose se tourna vivement vers Oliver ; il avait l'air aussi sidéré qu'elle.

— Deux pièces secrètes découvertes dans le même frigo en seulement une *semaine* ! s'extasia-t-il.

Rose alla chercher une lampe de poche dans un tiroir de la cuisine et descendit les marches devant son frère. Les planches mal jointes menaçaient de s'écrouler sous leur poids. À la faible lueur de la torche, Rose ne voyait qu'à quelques centimètres devant elle. Son cœur battait à toute vitesse, mais le pas d'Oliver derrière elle était calme et régulier.

Une fois au bas de l'escalier, Rose sentit un sol de béton sous ses pieds. Soudain, elle poussa un hurlement.

Face à elle, elle venait d'apercevoir un visage dans un bocal bleu. Un visage humain, mais en miniature.

— Qu'est-ce que c'est que ça ? s'écria Oliver.

Rose avança la torche pour éclairer le bocal. Là, à l'intérieur, sans l'ombre d'un doute, se trouvait un gnome. C'était un tout petit homme, d'environ quinze centimètres, avec une grosse barbe blanche touffue et un chapeau vert. Non pas mort et tout fripé, comme on aurait pu s'y attendre. Il respirait. Ou plutôt, il ronflait. Il affichait un sourire rêveur et ses narines se gonflaient au rythme de ses inspirations. Rose n'en croyait pas ses yeux. Une étiquette accrochée au bocal bleu indiquait : LE NAIN DU SOMMEIL PERPÉTUEL.

— C'est pas possible ! murmura Oliver en observant la créature ronflante de plus près.

Rose décala le faisceau de sa lampe sur la droite, où se trouvait un autre bocal. Celui-ci paraissait vide, à l'exception de quelques feuilles rouge et or qui tournoyaient à l'intérieur. L'étiquette disait : LE PREMIER VENT D'AUTOMNE.

Oliver s'était retourné pour inspecter un bocal rempli d'une lueur où voletaient des grains de poussière.

— C'est quoi, celui-là ? lui demanda Rose.

— La lumière d'une éclipse lunaire, chuchota-t-il.

La substance lumineuse teintait son nez de bleu. Il jeta un coup d'œil à un autre bocal sur l'étagère du dessous et poussa un petit cri.

— Rose, regarde !

Sa sœur éclaira un bocal plus petit. Celui-ci, à la différence des autres, était vert et renforcé par du fil barbelé. Son bouchon de lourd métal rouillé était verrouillé. Rose pouvait à peine distinguer ce qu'il y avait à l'intérieur. On aurait dit une boule grise gluante, de la taille d'une balle de base-ball. L'étiquette indiquait : ŒIL DE SORCIER.

Rose et Oliver échangèrent un regard éberlué. Ils avaient vu leur père chasser des vents, des murmures et des oiseaux exotiques. Avait-il également chassé un sorcier pour lui subtiliser son œil ? Existait-il réellement des sorciers maléfiques ? Le sorcier viendrait-il un jour récupérer son œil ? Rose frissonna à cette idée. S'il y avait un Nain du Sommeil Perpétuel dans un sous-sol secret de leur cuisine, que pouvait-il s'y cacher d'autre ?

Oliver tapa sur l'épaule de Rose.

— Regarde, là, des œufs d'Inséparable masqué !

Dans un des bocaux bleus, elle vit une douzaine d'œufs rouges minuscules mouchetés de noir. Oliver se saisit du bocal.

— Allons-y. Je veux pas savoir ce qu'il y a d'autre ici.

Pour une fois, Rose devait bien admettre qu'elle non plus n'avait pas vraiment envie de le découvrir.

À peine Rose avait-elle posé son cahier sur le comptoir que Lily, Origan et Chip entraient par la porte du jardin, les bras chargés de cageots remplis de myrtilles, de fraises et de framboises.

— Comment on va faire pour cuisiner avec eux ici ? chuchota Rose à l'oreille d'Oliver.

Il afficha un sourire diabolique.

— Laisse-moi parler à Nini.

Il monta l'escalier et réapparut avec Nini, qui ouvrait tout grand ses adorables mirettes.

— C'est parti, mima-t-il avec ses lèvres. Dites-moi ? ajouta Oliver en s'adressant à Chip et Lily. Est-ce que vous pouvez surveiller Nini aujourd'hui ? La grande *hermana* et moi, on doit se concentrer sur la pâtisserie.

Chip s'approcha de la porte de la pâtisserie qui donnait sur la rue. Il y avait déjà une longue file d'attente de clients affamés et impatients. Mme Bonnevoix, la couturière spécialiste en bobards, l'incroyablement grand shérif Raeburn, la timide bibliothécaire Mlle Karnopolis et des douzaines d'autres réclamaient leur petit déjeuner.

Lorsque Chip ouvrit la porte, Nini se précipita dehors en hurlant :

— Cache-cache ! Cache-cache !

Elle disparut au coin de la rue.

Tante Lily prit Origan par la main et se mit à courir après la petite fille.

— On va la rattraper ! hurla-t-elle par-dessus son épaule.

— Je m'occupe des clients, cria Chip.

Pour l'instant, il n'avait d'autre choix que de laisser Rose et Oliver tranquilles.

Rose ouvrit son cahier. Elle avait enfin l'occasion inespérée de cuisiner quelque chose qui sorte de l'ordinaire. Un gâteau magique ! À partir d'une recette du *Livre des Bliss*. Alors pourquoi ses mains tremblaient-elles ? C'était comme si elle s'apprêtait à entrer en scène devant des millions de fans hurlants. En surface, euphorique, mais au fond, terrifiée. Et si elle se trompait ? Et si tout le monde la huait ? Ou, pire, si elle blessait quelqu'un ?

Sir Jasper Bliss râpa une grosse courgette en psalmodiant par trois fois les noms des deux âmes esseulées,

Oliver nettoya une courgette puis la fit glisser sur la surface dentelée d'une râpe à fromage. Des confettis verts vinrent former une petite montagne informe au fond du saladier.

— N'oublie pas de psalmodier, lui rappela Rose.

— M. Phibien et Mlle Chardon, grogna Oliver.

— Plus fort !

— M. Phibien et Mlle Chardon ! M. Phibien et Mlle Chardon !

Chip passa la tête entre les portes battantes. Il était à bout de souffle, en sueur, le visage cramoisi. Au-dehors, la file d'attente s'allongeait.

— Ça va, les enfants ?

— Ouais, bafouilla Oliver en rougissant. On était juste en train d'essayer de se souvenir... des paroles d'une chanson de rap.

— On dirait ta mère, bougonna-t-il. Toujours en train de marmonner en cuisinant !

Il disparut. Rose et Oliver poussèrent un soupir de soulagement.

passa au tamis de fer une poignée de farine plus une poignée de sucre et versa lentement sur le tout deux cupules d'extrait de vanille de Tahiti.

Rose fronça les sourcils.

— Une poignée ? Ça fait combien, une poignée ?

Elle serra le poing et le compara aux doseurs de sa mère, des petites tasses rondes empilées les unes dans les autres à la manière de poupées russes. Une poignée faisait à peu près la taille de la plus grande des tasses.

Oliver leva son propre poing, de la taille d'un pamplemousse. À côté, la tasse parut tout à coup minuscule.

— Rappelle-toi, *mujer*[1], dit-il, les gens étaient plus petits avant. Va pour une tasse.

Il plongea le doseur dans le sac en jute et retira le surplus avec son doigt, puis il tamisa la farine au-dessus du

1. Femme.

saladier à l'aide d'une passoire métallique aussi fine qu'un filet à papillons.

Puis il incorpora à la pâte un œuf d'Inséparable masqué, Agaponis personata, que sir Jasper avait eu par un mage qui les récoltait au cœur de la forêt primitive de Madagascar.

Rose ouvrit avec prudence le bocal bleu tout en s'assurant que Chip ne les regardait pas. Elle cassa l'œuf au centre du saladier : un jaune couleur de coquelicot tomba sur la pâte blanche.

Le jaune tremblota puis glissa en dessous de la mixture. Il réapparut sur un côté, puis replongea avant de refaire surface. Il se déplaçait de plus en plus vite. Bientôt, la pâte forma une boule au milieu du récipient.

C'est alors que le jaune explosa. La pâte craqua et crépita ; des étincelles violettes et bleues s'en échappèrent, tels des mini-feux d'artifice, avant de retomber mollement. La mixture prit sous leurs yeux une délicate teinte rose. Puis le silence se fit, comme si rien d'anormal ne s'était passé.

Rose frissonna. « Rien à voir avec les muffins aux courgettes de Papy Brossard ! »

Elle était enfin en voie de devenir une magicienne-pâtissière. Même Oliver avait l'air ébloui.

Ils disposèrent la pâte dans une douzaine de moules à muffin et les enfournèrent. *Le four chaud de six flammes* se transforma en 160 degrés, la température choisie habituellement par Céleste, et *le temps de huit chansons* se tranforma en une étrange demi-heure durant laquelle ils fredonnèrent tous les chants de Noël dont ils arrivèrent à se souvenir.

Au bout de huit chansons, Rose et Oliver retirèrent du four les muffins, qui avaient pris une belle teinte dorée. Ils en mirent deux à refroidir.

— Qu'est-ce qu'on fait des autres ? demanda Rose.

— Je vais m'en débarrasser, déclara Oliver en les emportant.

Jetant un coup d'œil dans la pâtisserie, Rose aperçut M. Phibien à la tête d'une longue file de clients énervés. Il s'avançait vers le comptoir, ses cheveux blancs hirsutes se dressant comme des fleurs de pissenlits sur sa tête. Sur son tee-shirt on lisait : JE SUIS UN PRINCE GRENOUILLE. EMBRASSEZ-MOI.

Rose se précipita dans la salle avec les deux muffins tout chauds et bouscula presque Chip pour se frayer un passage.

— Monsieur Phibien ! Bonjour ! Que puis-je vous servir ?

M. Phibien la regarda, confus.

— Bonjour, dit-il en faisant mine d'hésiter entre les pâtisseries exposées. Je vais prendre… un muffin aux carottes.

M. Phibien se retourna et remarqua Mlle Chardon juste derrière lui. Elle portait un jogging de couleur criarde.

— Mademoiselle Chardon ! s'écria Rose. Avancez !

Mlle Chardon regarda autour d'elle et pointa du doigt sa propre personne.

— Moi ?

— Oui, vous ! dit Rose. Venez au comptoir. Aujourd'hui, on sert deux par deux !

Mlle Chardon se plaça à côté de M. Phibien. Ils échangèrent un regard et un sourire, puis détournèrent tous deux la tête en rougissant.

Rose avait remarqué le même phénomène à la soirée de fin d'année des sixièmes. Les garçons et les filles qui se plaisaient se tenaient dans des coins opposés de la salle de danse, se souriaient, puis baissaient aussitôt la tête. Elle s'étonna de constater que la même chose semblait s'appliquer aux adultes.

Mlle Chardon avait la gorge serrée.

— Je voudrais un muffin aux carottes, réussit-elle à prononcer d'une voix éraillée.

— C'est drôle que vous vouliez tous les deux des muffins aux carottes, parce que, justement, on n'en a plus ! mentit Rose.

Elle avait les paumes humides et sa voix tremblait un peu.

— Mais on a fait des muffins aux courgettes délicieux ! ajouta-t-elle avec un sourire radieux. Ils sortent tout juste du four !

Elle leur tendit les deux pâtisseries. De la fumée s'en échappait encore, comme de deux cheminées miniatures. M. Phibien et Mlle Chardon contemplèrent les gâteaux en ouvrant de grands yeux et hochèrent la tête tous les deux en même temps.

— Voilà, dit Rose en plaçant les muffins dans deux sacs en papier individuels avant de les leur tendre. C'est… un cadeau de la maison Bliss !

M. Phibien et Mlle Chardon se dirigèrent tous les deux vers la porte machinalement. Sur le trottoir, ils partirent dans des directions opposées. À cet instant précis, Nini fit irruption dans la boutique en coup de vent. Elle zigzagua entre les jambes des clients furieux de voir que M. Phibien et Mlle Chardon avaient eu droit à des muffins gratuits.

Tante Lily et Origan entrèrent à la suite de Nini, mais celle-ci avait déjà filé vers sa chambre, à l'étage. Peu importait le chaos qui régnait dans la pâtisserie, se dit Rose. Elle s'amusait bien trop avec son grand frère.

— Rose ! Viens ! appela Oliver depuis la cuisine.

Rose passa les portes battantes. Son frère brandissait une petite fiche, couverte de tâches de graisse et de l'écriture de leur mère.

— Regarde ça ! dit-il. C'est une table de conversion. Je l'ai trouvée dans le congélateur.

Une poignée = une demi-tasse
Une flamme = 13 degrés Celsius
Une chanson = 4 minutes
Une cupule = une cuillère à café
Une noix = une cuillère à soupe

Rose fit la grimace.

— Donc une poignée de farine, c'était une demi-tasse, pas une tasse entière !

— T'inquiète. Au pire, ils s'aimeront juste encore plus.

Oliver frissonna de dégoût à cette idée.

— Berk !

— Eh bien, il n'y a qu'un seul moyen de le savoir, dit Rose en lui faisant un clin d'œil.

Trois heures plus tard, Rose et Oliver, cachés dans un buisson de la cour de l'école primaire de Calamity Falls, espionnaient la classe de Mlle Chardon. Elle donnait son cours d'été : « La magie de la science ».

— Mais où est M. Phibien ? s'impatienta Oliver. Ça fait une plombe qu'on attend. À l'heure qu'il est, il devrait être chez lui en train de danser la valse au milieu des grenouilles.

Rose s'imaginait déjà la scène. M. Phibien arriverait devant la fenêtre de Mlle Chardon vêtu d'un élégant costume noir et arborant une nouvelle coupe de cheveux. Il frapperait au carreau et dirait :

— Mademoiselle Felidia Chardon, je vous aime depuis que j'ai croisé votre regard !

Le visage de sa bien-aimée s'illuminerait, des larmes de joie brilleraient dans ses yeux. Elle sortirait gracieusement par la fenêtre de la salle de classe et les deux amants s'éloigneraient main dans la main, laissant derrière eux une bande d'élèves bouche bée.

C'était le même scénario qui lui trottait dans la tête quand elle s'imaginait avec Devin Stetson, dans l'éventualité où elle devrait un jour donner un cours d'été.

Mais M. Phibien restait invisible.

Rose soupira. Elle avait envie de s'arracher les cheveux. Ou de pleurer. Ou les deux.

— Ça doit être parce qu'on n'a pas utilisé les bonnes proportions... Mais maintenant qu'on sait ce que veulent dire ces mesures, on pourra les appliquer correctement la prochaine fois, suggéra-t-elle en espérant qu'ils en auraient l'occasion.

— Heu, je sais pas, bafouilla Oliver. J'ai l'impression que c'est une perte de temps. Je voulais juste montrer à tante Lily que je… que l'on... était capables de faire de la magie.

Il se releva.

— J'ai d'autres choses à faire, conclut-il. Jouer aux jeux vidéo. Dormir. Demande à Origan de t'aider.

Il se débarrassa des feuilles accrochées à sa chemise et s'éloigna.

Rose le suivit à la maison, déçue.

Ce soir-là, Rose, assise à la table familiale, avait sur les genoux une Nini morte de fatigue mais joyeuse.

Tante Lily caressait la tête de la petite fille.

— Oh, Nini, je me suis tellement inquiétée pour toi ! soupira Lily.

Elle avait préparé de la pizza. La pâte fine et légèrement sucrée était recouverte de délicieuse sauce tomate, de mozzarella et d'olives. Chip avait décidé de rentrer chez lui, épuisé par cette journée où il lui avait fallu servir seul des dizaines et des dizaines de clients.

Mme Carlson agita un doigt devant le visage de Nini.

— Je l'aurais trouvée, la petite coquine, dit-elle avec assurance. J'étais une espionne, avant.

Lily annonça qu'elle devait aller aux toilettes et disparut dans sa chambre du sous-sol, qui était équipée d'une petite salle de bains avec douche.

Le téléphone sonna. Rose se précipita pour répondre. C'était sa mère.

— Mon petit chat ! roucoula Céleste.

Rose sentit son pouls s'accélérer. Elle brûlait d'avouer qu'elle avait été dans la bibliothèque et dans la cave défendue, qu'elle avait copié les recettes, qu'elle avait utilisé la magie pour provoquer la réunion de M. Phibien avec Mlle Chardon. Mais, surtout, elle voulait parler à sa mère de tante Lily, s'assurer qu'elle disait la vérité, qu'elle était bien de la famille, qu'elle n'était pas « louche ».

Elle se rendit compte qu'elle ne pouvait pas. Elle les mettrait tous dans le pétrin. Et puis, Lily était-elle si méchante que ça ? Après tout, elle se contentait d'aider au magasin pendant l'absence de ses parents.

Mais, tout de même, elle devait dire *quelque chose*, non ?

Rose ouvrit la bouche. Seulement, dès que le nom de tante Lily lui vint à l'esprit, sa langue devint molle, et elle fut incapable d'articuler le moindre mot. Puis ses pensées lui échappèrent.

— Mon chat ? dit la voix affectueuse de Céleste dans le combiné. Rose ? Est-ce que ça va ?

— Je voulais te dire un truc, mais ça m'est sorti de l'esprit. Je dois être fatiguée.

Rose mit vite fin à la conversation et raccrocha.

Origan mordit dans sa pizza comme un animal et s'exclama, la bouche pleine :

— Rose qui a avalé sa langue ? C'est une première !

Tante Lily revint s'asseoir à table. Nini monta sur ses genoux et explosa d'un rire joyeux. Rose regarda tante Lily plaisanter avec ses frères et vit leurs regards s'allumer chaque fois qu'elle leur souriait. C'était difficile de s'imaginer un temps où Lily n'avait pas été là, à aider à la pâtisserie, à briquer sa moto et à amadouer Chip comme on attendrit une motte de beurre.

N'empêche que Rose, depuis l'arrivée de Lily, avait en permanence l'estomac noué.

Il y avait définitivement quelque chose de louche chez cette « tante ». Rose le sentait dans ses tripes, comme si son corps sonnait l'alarme.

Cette femme cachait un secret. Un sombre secret, un secret sinistre. Et Rose était déterminée à découvrir de quoi il retournait.

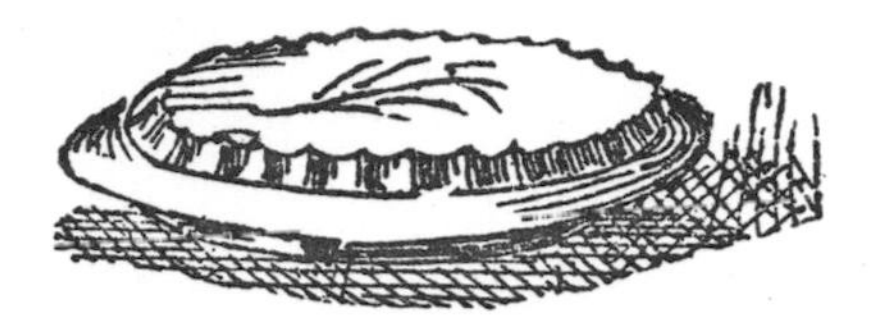

7

Recette numéro deux : les Cookies de la vérité

Une fois toutes les lumières éteintes, Rose descendit dans la chambre au sous-sol pour dire bonsoir à tante Lily. Du moins, c'est l'excuse qu'elle se donnait à elle-même. En fait, elle voulait fouiller dans ses bagages afin de confirmer ses soupçons sur les intentions de sa soi-disant tante.

En descendant les marches couvertes de moquette sur la pointe des pieds, Rose aperçut un rai de lumière sous la porte de la salle de bains. S'en échappaient un nuage de vapeur et une douce odeur de gel douche à la lavande. Pas surprenant que tante Lily sente toujours aussi bon !

Sa valise était ouverte dans un coin, sur un petit fauteuil jaune. Rose ne perdit pas de temps. Il y avait une combinaison de cuir rouge, une robe en dentelle bleue et un grand flacon avec un étiquette POTION MAGIQUE.

Bingo ! Elle avait percé le secret du charisme mystérieux de tante Lily : c'était une sorcière !

Rose n'avait pas envie de penser à ce que pouvait bien contenir cette potion magique – peut-être des ingrédients bien plus horribles qu'un œil de sorcier maléfique. Elle ouvrit délicatement le bouchon et recula son visage de peur que n'en jaillisse... l'esprit d'un démon hurlant, peut-être ? Un fantôme ? Une chauve-souris douée de parole ?

Mais rien n'en sortit à l'exception d'un relent de produit chimique.

Rose regarda à l'intérieur. Une substance blanche visqueuse. Elle secoua le flacon pour en faire tomber quelques gouttes dans sa paume. Cette odeur, elle lui était familière... Oui, c'était exactement celle qu'elle respirait quand elle se rapprochait des joues d'Oliver. Pas de doute possible : la « potion magique » n'était autre qu'une crème contre l'acné.

Cela ne faisait pas de Lily une sorcière.

Un bruit étouffé lui parvint du rez-de-chaussée.

Rose reposa vivement le flacon dans les affaires de tante Lily avant de remonter, toujours sur la pointe des pieds, pour voir qui ou quoi était la cause de ce raffut.

La cuisine était déserte et glaciale au clair de lune. Rose tressaillit dans sa chemise de nuit bleue et ses chaussettes blanches. En temps normal, terrifiée à l'idée d'être seule dans le noir, elle ne sortait jamais de sa chambre, où elle se sentait rassurée par la proximité de ses parents. En plus, Nini dormait avec une veilleuse en forme de coccinelle souriante.

Rose eut soudain un frisson au souvenir du nain endormi dans la cave : s'était-il réveillé ?

Le bruit se produisit à nouveau, trois fois de suite. Quelqu'un frappait à la porte de la pâtisserie.

Oliver choisit ce moment pour débouler dans la cuisine obscure.

— C'est qui dehors ? chuchota-t-il. Et où t'étais passée après l'heure de la brosse ?

— Je... j'étais descendue boire un verre d'eau.

— Il y a tout ce qu'il faut dans notre salle de bains, lui rappela son frère.

— Oui, mais l'eau de la cuisine a meilleur goût, répliqua-t-elle.

C'était vrai, mais ce n'était pas pour cela qu'elle était là. Rose ne pouvait pas confier à ses frères sa méfiance à l'égard de cette femme qui semblait les avoir ensorcelés, leur merveilleuse tante Lily.

— Peu importe, dit Oliver. Je vais voir qui frappe comme ça.

Rose suivit Oliver dans la pâtisserie.

— Oh, non ! grogna-t-il.

Lorsqu'elle alluma la lumière, Rose reconnut Mme Bonnevoix, la couturière, qui tapait au carreau de la devanture comme une folle furieuse, les sourcils si haussés sur son front qu'ils se confondaient avec sa chevelure. Elle portait une robe rouge imprimée d'un motif de poules et s'agrippait à un sac à main si petit qu'il devait pouvoir contenir tout au plus un dé à coudre.

— Qu'est-ce qu'elle veut, cette vieille chouette, à une heure pareille ? bougonna Oliver en ouvrant la porte.

Mme Bonnevoix entra dans la pièce d'un pas vacillant, à bout de souffle.

— Dieu merci, vous voilà ! J'ai cru devenir folle !

Elle s'exprimait avec un accent britannique qu'ils savaient tous deux être imité. Mme Bonnevoix avait vécu toute sa vie à Calamity Falls, mais son accent variait selon la ville où elle prétendait avoir grandi. Parfois c'était Paris, d'autres fois Berlin, et une fois Tokyo, ce qui avait été des plus bizarres. Le passé de Mme Bonnevoix était comme un kaléidoscope : très coloré, toujours changeant et entièrement fondé sur des illusions.

— Je sais que c'est le milieu de la nuit, mais je suis dans un de ces pétrins ! s'exclama-t-elle. Je viens juste d'apprendre que quelqu'un de très important me rendait visite demain pour le petit déjeuner !

— Qui ça ? Le *président* ? demanda Oliver, sarcastique, sachant très bien que, quoi qu'elle leur sorte, ce serait un mensonge.

— Du Cambodge ! Oui ! Comment as-tu deviné ?

Oliver jeta quand même à Mme Bonnevoix un regard effaré.

— Le président du Cambodge vient vous voir demain matin pour le petit déjeuner ? Ils ont vraiment un président, au Cambodge ?

— Mais bien sûr ! rétorqua-t-elle. Lui et d'autres chefs d'État très importants viendront dans la matinée. J'ai l'intention de servir du thé. Et des cookies. J'ai besoin de biscuits à la cannelle ! Des douzaines de biscuits à la cannelle ! Il faut qu'ils soient prêts à la première heure !

— Et pourquoi est-ce qu'ils viennent vous voir ? insista Oliver.

Rose se tourna vers lui et lui fit signe d'arrêter. Mais il était trop tard.

Mme Bonnevoix se recoiffa un peu.

— Je suis contente que tu me poses la question, commença-t-elle. Tu vois, mon père était cascadeur et, à une époque, il a présenté une émission de télé où il parcourait le monde entier et apprivoisait les plus dangereuses créatures. Je voyageais avec lui. Une année, on est allés au Cambodge pour dresser un lynx à barbe noire, le plus féroce des fauves de la jungle. Mon père a réussi à le faire ronronner sur ses genoux comme un petit chaton. Le président du Cambodge a été si impressionné que mon père et lui sont devenus de grands amis. Ils partaient souvent ensemble faire des safaris. Et aujourd'hui le président du Cambodge est en visite aux États-Unis. Alors, naturellement, il vient discuter le bout de gras chez moi et manger des cookies. Voilà.

Ce discours n'avait ni queue ni tête. Oliver plissa les yeux et s'avança un peu plus vers Mme Bonnevoix. Rose le surveillait. Même s'il était évident que la cliente mentait de toutes ses dents, ils ne devaient pas se moquer d'elle. Leurs parents la laissaient toujours déblatérer ses histoires. Maintenant qu'ils étaient absents, c'était à eux de faire en sorte qu'elle se sente chez elle à la pâtisserie Bliss.

— Ça m'a l'air fantastique, opina Rose en s'interposant entre eux. Mais tout le monde est en train de dormir. Je ne pense pas que les biscuits seront prêts avant demain après-midi.

— Non ? dit Mme Bonnevoix, toute tremblante. Mais j'ai besoin de dix douzaines de biscuits à la cannelle pour demain matin ! Je paierai le double du prix habituel !

Rose savait que pour produire une telle quantité de biscuits, Oliver et elle seraient obligés de passer une nuit blanche. Elle se tourna vers son frère.

— Tu te sens d'attaque ?

Oliver haussa les épaules. De toute façon, il restait souvent debout jusqu'à cinq heures du matin à jouer à ses jeux vidéo.

Rose hocha la tête.

— Très bien, madame Bonnevoix. Revenez demain matin pour vos biscuits à la cannelle. Ce sera un honneur de préparer le petit déjeuner du président du Cambodge.

— Qui sait ? Il vous décernera peut-être une médaille ! Il raffole des médailles, décréta Mme Bonnevoix en se dirigeant vers la porte. Je serai là à neuf heures tapantes !

Et elle se volatilisa dans la nuit noire.

Rose et Oliver prirent soin de se déplacer dans la cuisine sur la pointe des pieds et en chaussettes, afin de ne pas réveiller tante Lily, et de travailler à la lueur de bougies pour éviter de troubler le sommeil de Mme Carlson, qui était très sensible à la lumière.

— C'est grotesque, murmura Oliver en s'asseyant sur le comptoir, ses beaux bras hâlés croisés sur son torse parfait.

Rose feuilletait *Les Recettes de Papy Brossard.*

Cacao… café… canneberge…

— Attends, l'arrêta Oliver.

La lueur de malice qui pétillait dans ses yeux était accentuée par le reflet des flammes dansantes des bougies.

— Va chercher les recettes qu'on a copiées. Je suis certain que l'une d'elles nous permettra de punir Mme Bonnevoix pour ses mensonges. Le président du Cambodge ! Et puis quoi, encore ?

— Oliver, on ne doit pas utiliser la magie juste pour

nous amuser aux dépens de Mme Bonnevoix. Ce livre n'est pas là pour ça.

— Tu as raison.

Oliver, déçu, prit un air boudeur.

— C'est juste que… vu qu'on n'a pas réussi hier, je voulais vraiment réessayer… Je… j'adore faire de la pâtisserie.

Rose écarquilla les yeux. Elle était tellement sidérée par cette déclaration qu'elle céda.

— Bon, d'accord, soupira-t-elle. Je vais chercher les recettes.

Le cœur de Rose battait à tout rompre. Oliver était en train de la manipuler et feignait de s'intéresser à la cuisine dans le seul dessein de donner une bonne leçon à cette menteuse de Mme Bonnevoix. Et après ? Peu importait sa véritable motivation. Ce n'était pas gentil de jouer un tour à cette dame, mais d'un autre côté ce n'était pas bien de duper les gens. Et Mme Bonnevoix était la pire menteuse de tout Calamity Falls. Oliver avait peut-être raison.

Rose fouilla dans son tiroir à sous-vêtements à la recherche des recettes. Nini dormait d'un sommeil de plomb. Origan surgit sur le seuil de la chambre des filles. Ses cheveux roux bouclés faisaient penser à un feu d'artifice du 14 Juillet.

— Qu'est-ce qui se passe, gémit-il. Où est Oliver ? Pourquoi vous êtes pas couchés ?

Rose cacha le cahier derrière son dos.

— Rien du tout, dit-elle. Oliver et moi on fait la vaisselle. Retourne te coucher. On sera là dans une minute.

Origan ouvrit tout grand les yeux et la bouche, et laissa échapper un cri enthousiaste.

— Je veux vous aider !

— Depuis quand tu aimes faire la *vaisselle* ? demanda-t-elle.

Mais elle connaissait déjà la réponse. Depuis l'arrivée de tante Lily. Sa présence avait tout chamboulé.

— On n'a pas besoin de ton aide, Origan, dit-elle un peu trop sèchement. Va te coucher.

Si elle cédait, Origan risquait de provoquer un tintamarre qui réveillerait tante Lily et Mme Carlson.

Origan fronça les sourcils.

— Bon, d'accord, dit-il en retournant d'un pas lourd dans sa chambre.

Rose se sentait coupable d'avoir écarté son petit frère, mais elle n'allait pas le laisser gâcher sa nuit blanche avec Oliver.

Lorsque Rose revint à la cuisine, ils feuilletèrent son cahier jusqu'à retrouver la recette à laquelle il pensait.

Koekjes van waarheid
(Les Cookies de la vérité)

En l'an de grâce 1618, à Zandvoort, un village minier de Hollande, Lady Birgitta Bliss dévoila la véritable nature d'un voleur de bijoux du nom de Gerhard Boots en lui faisant avaler un Cookie de la vérité. À grand renfort de larmes, il avait clamé son innocence concernant sept de ses victimes, de pauvres paysans qui n'avaient pour toute fortune que les quelques joyaux qu'il leur avait dérobés.

Après avoir dégusté un Koekje van waarheid de Lady Birgitta, tout en se tapant en vain des deux mains sur la tête et sur les épaules pour s'empêcher de parler, le brigand avait avoué son forfait.

— C'est pile ce qu'il faut à Mme Bonnevoix ! s'exclama Oliver, enthousiaste. Peut-être qu'après dix douzaines de cookies comme ça, elle arrêtera de se radiner au milieu de la nuit pour de fausses urgences diplomatiques.

Lady Birgitta Bliss mélangea deux poignées de farine, deux poignées de sucre brun, trois œufs de poule et le souffle doux endormi d'un qui n'avait jamais menti. Cela se révéla être une mesure de correction modérée pour les plus abominables menteurs...

Et cetera.

— Que remplace le « *Et cetera* » ? pensa Rose à haute voix.

Tandis qu'elle copiait la recette sous la dictée d'Oliver, il avait lancé « *Et cetera* » en précisant que le reste des instructions était complètement standard, du genre « Laissez refroidir les cookies avant de les manger... ». Rose s'était contentée de prendre en note ce qu'il avait dit. Mais à présent, elle craignait d'avoir raté quelque chose.

— On s'en fiche, répliqua Oliver. La vraie question, c'est : qui on connaît qui n'a jamais menti et qui est en train de dormir ?

Rose se demanda si son propre souffle conviendrait. Quelques jours plus tôt, cela aurait été le cas (elle avait toujours détesté le mensonge), mais les événements de la semaine étaient venus tout gâcher. Depuis que tante Lily était arrivée, en effet, Rose avait enchaîné les tromperies. Elle avait tellement honte…

— Je ne sais pas, dit Rose.

Oliver s'exclama soudain en relevant la tête :

— Nini ! Nini sait à peine parler ! Alors, mentir, tu penses !

Rose et Oliver allèrent chercher un des bocaux bleus que leurs parents utilisaient pour attraper les ingrédients magiques et montèrent au chevet de leur petite sœur.

Elle était enroulée dans sa couverture, comme un saucisson. Son nez coulait à cause de ses allergies. Sa respiration était si lourde que chaque fois qu'elle inspirait, on aurait dit une tondeuse à gazon qui démarrait. Ce n'était pas vraiment ce qu'on pouvait appeler un « souffle doux » mais cela ferait l'affaire.

Oliver dévissa le couvercle du bocal et chuchota :

— Qu'est-ce que je fais avec ça ?

Rose leva les mains au ciel.

— J'en sais rien. Mets-le sous son nez.

Après avoir jeté un coup d'œil aux crottes de nez qui dépassaient des narines de Nini et tremblaient à chaque expiration, Oliver donna le bocal à Rose :

— Je peux pas.

— OK, d'accord, soupira-t-elle. Je m'en charge.

Elle plaça le bocal devant le nez dégoulinant de sa petite sœur et attendit.

Quelques respirations plus tard, un brouillard se forma dans le pot que Rose referma délicatement.

— Je l'ai, chuchota-t-elle.

Ils redescendirent en silence.

Ils savaient désormais traduire les mesures du *Livre de recettes des Bliss*. Ils multiplièrent donc les ingrédients de la recette par dix pour faire dix douzaines de cookies, ce qui revenait à dix tasses de farine, dix tasses de sucre brun et trente œufs. Ils versèrent les ingrédients dans le plus grand saladier en métal qu'ils purent trouver. Sur le plan de travail, le bocal plein du souffle de Nini se balançait au rythme de ses ronflements.

Alors qu'Oliver ajoutait la dernière dose de sucre brun à la mixture, le bocal s'agita tant et si bien qu'il roula et tomba par terre. Rose se jeta au sol comme pour attraper un ballon de rugby et le bocal atterrit sur ses genoux avec un bruit mat.

Oliver, qui ne manquait jamais un match à la télé, regarda Rose, sidéré.

— Bien attrapé, *mi hermana* !

Il se pencha pour lui taper dans la main. Elle rougit de fierté. De toute sa vie, Oliver ne lui avait jamais adressé un seul compliment.

Une fois qu'il eut cassé le dernier œuf vint le moment où la magie devait s'opérer. Rose ouvrit le bocal au-dessus de la pâte. Rien ne se passa dans un premier temps, puis, peu à peu, la brume se rassembla au centre pour former de petits grumeaux, et le souffle « honnête » s'abattit comme une bombe dans la mixture. Il coula tout au fond, puis refit surface et glouglouta comme dans un chaudron. La pâte se gonfla, siffla puis cracha de l'air. Cela sentait très fort la moutarde et le pastrami.

— Berk, dit Oliver. C'est ça qu'y avait dans le souffle de notre petite sœur ?

— Tourner douze fois dans le sens des aiguilles d'une montre à l'aide d'une cuillère en os, récita Rose.

Il leur faudrait se contenter d'une cuillère en plastique. Rose touilla de toutes ses forces la mixture qui devenait de plus en plus épaisse. En fait, la pâte s'était mise à *ronfler* : elle se contractait et se relâchait en cadence, comme si elle possédait de petits poumons. Un instant elle semblait bouillir et vouloir déborder du saladier, et le suivant elle se calmait et reprenait l'aspect d'une petite mare liquide bien tranquille. On aurait cru que la pâte était vivante.

— C'est dégoûtant, commenta Rose.

— Je trouve ça plutôt cool, murmura Oliver.

Après trois tours de cuillère, l'odeur de viande disparut ; après sept tours, la pâte se métamorphosa en une soupe brunâtre. Puis, à chaque tour, elle s'éclaircit : d'abord chocolat noir, puis chocolat au lait, puis couleur de beurre pour enfin devenir toute blanche. À la fin des douze tours, la mixture avait repris la forme et l'odeur d'une pâte à cookies.

Rose et Oliver formèrent de petits tas sur des feuilles de papier cuisson – dix exactement – puis ils enfournèrent le tout. Il était quatre heures du matin. Rose ne se souvenait pas de s'être jamais sentie aussi fatiguée. Même Oliver bâillait à s'en décrocher la mâchoire. Lorsque le minuteur de la cuisine retentit, ils sortirent les cookies, les posèrent sur le plan de travail afin de les laisser refroidir, puis montèrent se coucher, épuisés.

— Mets ton réveil à sonner à 7 h 45, recommanda Rose à Oliver.

— Pas de problème, frangine, marmonna-t-il.

— On doit remettre ces cookies à Mme Bonnevoix en main propre !

Mais il avait déjà disparu dans sa chambre, et Rose fut bientôt endormie, douillettement emmitouflée dans ses couvertures.

Rose fut réveillée par de terribles secousses, à croire qu'elle était ballottée par une vague géante. Elle ouvrit les yeux, effrayée, et aperçut Origan et Nini qui sautaient au bout de son lit comme sur le trampoline.

— Rose ! Rose ! criait Origan. Réveille-toi ! Chip a dit que tu devais jouer avec nous parce qu'on n'arrange pas ses affaires à la cuisine !

Nini donna par mégarde un coup de pied dans les côtes de Rose, lui arrachant un hurlement de douleur. Elle se retourna pour regarder le petit réveil électrique sur sa table de chevet et sursauta.

Il était 11 h 14.

— Laissez-moi ! cria Rose à Origan et Nini.

Elle jeta violemment ses couvertures à terre puis se précipita dans la chambre d'Oliver. Son frère était encore en train de dormir.

Rose descendit à toute vitesse, le cœur battant. Chip s'affairait à la cuisine.

— Ah, te voilà enfin ! dit-il d'un ton bourru.

Au même instant, tante Lily sortit de la chambre froide vêtue d'un pantalon à fines rayures et d'un long tablier, les bras chargés de boîtes d'œufs. Ses cheveux d'un noir de jais brillaient comme l'aile d'un corbeau.

— Rose, ma chérie !

— Mais pourquoi personne m'a réveillée ? gémit Rose.

— On s'est dit qu'on allait te laisser dormir ! Tu as travaillé si dur !

Puis Rose s'aperçut que les cookies n'étaient plus là. Les dix douzaines avaient disparu !

— Mme Bonnevoix est venue chercher sa commande ? interrogea Rose en priant le ciel pour que tout se soit passé comme prévu.

— Oui, répondit Chip. Elle a parlé d'une histoire de ministre des Fiji, qu'elle avait besoin de cookies.

Qu'était devenu le Cambodge ? Parfois, Mme Bonnevoix avait du mal à suivre le fil de ses propres mensonges.

Rose soupira de soulagement.

— Mais, continua-t-il, elle n'en a pas voulu. Elle a dit : « Je veux des biscuits à la cannelle, et ça, ce n'en est pas ! »

Chip avait imité l'accent anglais affecté de Mme Bonnevoix.

Lily s'écria avec un rire forcé :

— Ah, Chip !

Rose était furieuse contre elle-même. Si seulement elle s'était réveillée à temps, elle aurait pu expliquer à Mme Bonnevoix que ces cookies étaient en fait une variété spéciale de biscuits à la cannelle, très prisée en Océanie. Hélas, tout ce travail pour rien ! Oliver allait être dégoûté.

— Alors, vous les avez jetés ? demanda Rose.

— Oh, du tout, répondit Chip avec un sourire satisfait. Je ne gâche jamais de la nourriture ! Je les ai offerts.

Rose ouvrit de grands yeux.

— Quoi ?

— Mais bien sûr. J'ai donné un cookie gratuit à chaque client.

Rose sentit sa gorge se nouer. Oh non ! Cela faisait à peine dix minutes qu'elle était levée, et elle avait déjà réussi à empoisonner toute la ville avec ses Cookies de la vérité.

Ça n'allait pas être beau à voir.

8

La vérité et ses conséquences

Rose se laissa tomber à terre, accablée. Ses jambes s'étaient dérobées sous elle et, quand on n'a plus de jambes, on s'assied où on peut.

— Qu'est-ce qui ne va pas, mon ange ? demanda tante Lily d'une voix douce.

Sur son beau visage se lisait une vive inquiétude. Rose éprouva un pincement de jalousie : comment Lily faisait-elle pour paraître toujours aussi belle ? Rose, de son côté, n'avait pas besoin de se regarder dans un miroir pour savoir qu'elle avait les joues rouges, le front plein de sueur et les yeux encore gonflés par le sommeil.

Parfois, la vie était vraiment trop injuste.

Chip se pencha vers elle.

— Heu, tu veux une chaise ?

Il venait de distribuer plus d'une centaine de cookies magiques destinés à la seule Mme Bonnevoix. Était-ce si grave ? La recette disait que les *Koekjes van waarheid* se révéleraient « *une mesure de correction modérée pour les plus abominables menteurs* ». Or, la seule abominable menteuse qu'elle connaissait, c'était Mme Bonnevoix.

Quoique Rose s'était elle-même transformée en distributeur à mensonges ces derniers jours. Elle avait menti à tante Lily, à Chip... même à M. Phibien et Mlle Chardon. Et, par-dessus le marché, elle avait menti à ses propres parents.

Oui, si Rose avait dégusté un de ces Cookies de la vérité, elle aurait été dans le pétrin. Mais le reste de Calamity Falls risquait-il quelque chose ?

— Rose ! hurla Origan. Viens jouer avec nous !

Origan et Nini sautaient joyeusement sur le trampoline derrière la maison. Mme Carlson, installée non loin de là sur une chaise longue, sirotait du thé glacé écossais tout en regardant un feuilleton sur sa télé portable, un triste petit cube avec des antennes en forme d'oreilles de lapin qu'elle devait traîner avec elle depuis le milieu des années 80.

— Les enfants t'ont réclamée toute la matinée ! dit tante Lily.

En temps normal, Rose aurait pris cette remarque comme un compliment, mais pas ce jour-là. Elle avait autre chose à faire.

— Pas maintenant, cria Rose en direction de la porte.

Puis elle se tourna poliment vers Chip.

— À qui est-ce que tu as donné des cookies ?

— C'est quoi cet interrogatoire ? coassa Chip en plissant les yeux et en croisant ses bras musclés sur sa poitrine. Ils étaient empoisonnés ou quoi ?

Tante Lily posa doucement une main sur l'épaule de Chip.

— Allons, allons, Chippy...

— Heu… il y avait… de la poudre de noix de pécan dedans, et je voulais juste vérifier que tu n'en avais pas donné à des gens allergiques, mentit Rose.

Chip lui sourit.

— Je comprends. J'en ai donné à M. Phibien, le type aux grenouilles, et à Mlle Chardon, la prof… À tous les profs, en fait… et aux membres du club de golf, aux banquiers, aux médecins, à la coiffeuse. Ils les ont tous trouvés délicieux. Mais ne t'inquiète pas, j'en ai gardé pour nous, dit-il en désignant une petite assiette pleine de biscuits dorés sur le comptoir.

Finalement, il n'y aurait pas tant de personnes que ça atteintes de vérité, se consola Rose. La situation ne serait pas impossible à gérer.

— Tu es sûr que c'est tout ?

Chip prit une grande inspiration et gratta son crâne chauve.

— Laisse-moi réfléchir. Qui d'autre ?

Une grosse veine bleue se gonfla comme une rivière sur son front lisse.

— Ah ! dit-il. Un groupe de bibliothécaires est passé. Elles sont descendues d'un car d'écoliers jaune.

— Oui, dit Rose. Les L.L.L.

Chip et tante Lily tournèrent vers Rose des regards étonnés.

— La Ligue des Littéraires Lettrées, dont tous les membres sont des femmes. Elles viennent en ville une fois par semaine. Elles vont au musée, ou au parc, ou faire du cheval, et parfois elles viennent ici. Maman les adore.

— Elles sont cool, dit Chip. Super polies.

Rose allait lui demander s'il avait donné des cookies à d'autres personnes, lorsqu'un bruit fracassant retentit dans la rue. Rose regarda par la grande fenêtre. Un car jaune avec sur son flanc les lettres LLL peintes en bleu venait de s'arrêter devant la pâtisserie, manquant de percuter les voitures en stationnement.

La bibliothécaire de l'école, Mme Canterbury, émergea du car, les cheveux trempés de sueur et les joues cramoisies. Elle fit valser la porte d'entrée de la pâtisserie et fonça droit sur le comptoir.

Rose franchit en toute hâte les portes battantes pour la saluer.

— Bonjour, jeune Rose, commença Mme Canterbury dans un murmure. Les filles veulent encore de ces petits cookies bruns que vous avez distribués plus tôt. Personnellement, je ne peux pas manger de sucre, donc je n'ai pas pu les goûter, mais elles les ont vraiment, *vraiment* adorés, et elles ont dit que si je ne revenais pas avec trois douzaines de plus, je les cite, elles me « casseraient la gueule ».

— Cela ne ressemble pas aux L.L.L. de dire des gros mots, s'étonna Rose.

— Je ne sais pas ce qu'elles ont aujourd'hui, elles sont un peu... sur les nerfs, soupira Mme Canterbury en jetant un coup d'œil ennuyé vers le car.

Les bibliothécaires, vêtues de leur veste en tweed et de leurs pulls à col en V, avaient collé leurs visages aux vitres du véhicule et fixaient la devanture de la pâtisserie avec des regards affamés.

Rose n'avait jamais vu une chose pareille. Les *Koekjes van waarheid* y étaient peut-être pour quelque chose, mais comment était-ce possible? Ils étaient supposés n'affecter que « les plus abominables menteurs », ce qui n'était sûrement pas une définition s'appliquant à des L.L.L..

Ou bien elle se trompait?

— Vite, s'il vous plaît! supplia Mme Canterbury. Je suis inquiète. Les filles sont vraiment bizarres.

Une deuxième bibliothécaire bondit soudain du car et entra dans la boutique en courant. Rose reconnut Mlle Karnopolis, la bibliothécaire qui lisait des histoires aux enfants en primaire. Son chignon était défait et ses cheveux voletaient autour de sa tête.

— Bonjour! hurla-t-elle. Enfin, est-ce vraiment une « bonne journée »? J'ai le visage qui me gratte et je n'ai pas réussi à aller aux toilettes depuis trois jours. Alors, en fait, c'est une matinée plutôt médiocre! Et ce papier peint à la noix n'aide pas du tout. Non mais vraiment, des rayures. C'est une pâtisserie ou un cirque, ici?

— Augustine, voyons! la gronda Mme Canterbury.

— *Voyons* toi-même, Pat! riposta Mlle Karnopolis. Il est temps de dire la vérité sur cet endroit. La personne qui a choisi ce papier peint mérite une bonne taloche!

Chip s'avança dans la boutique, la veine de son front vibrant comme la gorge d'une grenouille qui coasse.

— C'est *moi* qui l'ai choisi, grogna-t-il.

Tante Lily se précipita derrière lui.

— Ce papier peint est fantastique, Chippy, dit-elle. Enfin, pour du papier peint.

Puis elle se tourna vers Mlle Karnopolis et ajouta:

— Personnellement, j'ai toujours préféré une bonne couche de peinture.

Mais Mlle Karnopolis ne prêtait pas la moindre attention à tante Lily. Elle avait ouvert grand la bouche à la vue du torse musclé de Chip.

— Mais... mais..., balbutia-t-elle, je... je... je... mais... mais...

Chip repassa les portes battantes à reculons en marmonnant :

— Peu importe, c'est pas grave.

Tante Lily étouffa un petit rire puis se reprit.

— Augustine ! Mais quelle mouche t'a piquée, bonté divine ! s'écria Mme Canterbury.

Mlle Karnopolis se pencha sur le comptoir et tira Rose vers elle.

— Rose, tu as de magnifiques cheveux. Tu devrais être contente, tant qu'ils ne tombent pas avec l'âge. Tu n'as pas un visage aussi beau que ton frère Oliver. Ce que je veux dire, c'est que si Oliver était une fille, il serait plus joli que toi, et si toi tu étais un garçon, tu ne serais pas aussi beau.

Rose la contempla avec horreur. Des pensées semblables lui traversaient parfois l'esprit quand elle était seule, par exemple avant de s'endormir. Mais elle ne s'était jamais doutée que d'autres personnes pensaient la même chose, surtout pas la gentille et douce bibliothécaire de l'école primaire.

Rose se racla la gorge.

— Heu... Merci.

Tante Lily posa une main rassurante sur l'épaule de Rose.

— Ne t'en fais pas, ma chérie, dit-elle. Tu as quelque chose qu'Oliver n'a pas.

Avant que Rose ait eu le temps de lui demander quoi, dix bibliothécaires en colère entrèrent avec fracas dans la pâtisserie. Le grelot accroché à la poignée carillonna comme à la foire.

Ces dames se regroupèrent par deux ou trois et se mirent à se chamailler à tue-tête. Mme Hackett, la spécialiste des romans, et Mme Crisp, qui s'occupait des ouvrages de sciences humaines, beuglaient devant le comptoir.

— Tu ne saurais même pas comment classer des articles universitaires ! criait Mme Crisp.

— Oh ! Ferme-là, espèce d'excrément de perroquet ! rétorqua Mme Hackett.

Et ainsi de suite… Le vacarme était de plus en plus insupportable. Chip jeta un coup d'œil inquiet par-dessus les portes battantes.

— Oh, tu sais, c'est pas leur jour, lui dit Rose pour le rassurer, tout en sachant qu'en réalité, c'était bien plus grave que ça.

Mme Hackett et Mme Crisp se dirigèrent vers la partie du comptoir où étaient disposés les gâteaux aux sept saveurs, une spécialité des Bliss : crème de noix de coco, ananas, chocolat, banane, carotte, fondant à la fraise, et une couche onctueuse de noix de pécan, que Céleste appelait tout simplement Bouchée de Paradis. Ils trônaient sur le comptoir dans des assiettes de porcelaine recouvertes de cloches en verre munies de petites poignées rouges.

— Admets-le, dit Mme Hackett à Mme Crisp. Tu n'as aucun respect pour moi, juste parce que je ne suis pas une universitaire coincée comme toi !

Mme Crisp la regarda de haut.

— Je préfère être une universitaire coincée qu'une experte en romans à l'eau de rose !

Et là, tout à coup, les membres de la Ligue des Littéraires Lettrées se turent et tournèrent vers Mme Hackett et Mme Crisp des visages aux expressions horrifiées.

— Répète un peu pour voir ! gronda Mme Hackett.

— Tu m'as bien entendue ! rétorqua Mme Crisp, dont la lèvre inférieure tremblait.

Mme Hackett souleva un des dômes de verre et, se saisissant d'un gâteau recouvert de crème de noix de coco, le plaqua sur la figure de Mme Crisp.

Mme Crisp n'émit pas un son. Sa bouche, ses yeux, son nez, tout avait disparu sous une épaisse couche de glaçage parsemée de copeaux de noix de coco. Puis un bout de langue rose pointa et deux lèvres apparurent : elle se léchait les babines.

— J'aime pas la noix de coco, articula-t-elle d'une voix étouffée en soufflant par le nez.

Il y eut un éclat de rire général. Après quoi, les bibliothécaires recommencèrent à se crêper le chignon. Mme Canterbury se réfugia derrière la table à café en acier et se couvrit les yeux tandis que Mlle Karnopolis se précipitait derrière le comptoir pour la bombarder de muffins aux myrtilles. Mme Hackett et Mme Crisp luttaient par terre au milieu des restes du gâteau à la crème et d'un cercle de collègues qui les encourageaient en tapant dans leurs mains.

Origan et Nini arrivèrent en trombe du jardin pour voir ce qui causait un pareil tapage. Mme Carlson, sur leurs talons, hurlait avec son effroyable accent écossais :

« Espèces d'animaux ! ». La bagarre réveilla aussi Oliver, qui surgit à moitié endormi en se frottant les yeux.

— Chip a donné nos cookies aux L.L.L., lui annonça Rose. Je crois qu'ils ont marché.

Oliver ébaucha un sourire goguenard.

— Cool.

Non, ce n'était pas vraiment cool, se dit Rose. C'était plutôt dangereux.

— Je vais mettre les petits en sécurité, hurla Mme Carlson en poussant Origan et Nini vers la cuisine.

Quelques minutes plus tard, Chip arriva à la rescousse. Il passa les portes en brandissant un fouet électrique sans fil et une torche à crème brûlée.

— Ça suffit, hurla-t-il. Il enclencha le fouet et alluma le chalumeau de cuisine. Un jet de flammes bleues s'éleva dans les airs.

Les bibliothécaires reculèrent vers la porte en murmurant que Chip était aussi beau qu'un diable mais qu'il manquait cruellement de charme. Lorsqu'elles furent toutes remontées dans le car, Chip poussa le verrou de la porte d'entrée.

— Je crois qu'il vaut mieux fermer pour le reste de la journée.

Il avait l'air sous le choc. Et pourtant il avait vu les pires horreurs à la guerre. Mais qui aurait pu imaginer qu'un jour il menacerait une horde de harpies lanceuses de gâteaux avec une torche à crème brûlée ?

— Allons, nettoyons tout ça, Chip, dit tante Lily avec son éternel optimisme.

— Bonne idée, opina Rose. J'arrive dans une minute. Faut que j'aille chercher un truc dans la chambre froide.

Elle entraîna Oliver dans la bibliothèque.

Rose et Oliver feuilletèrent frénétiquement le *Livre de recettes des Bliss*. Ils retrouvèrent la recette des Cookies de la vérité. Dans la marge, une gravure représentait une scène similaire à celle dont ils venaient d'être témoins : des gnomes et des bonnes femmes avec des sabots de bois et des chapeaux hollandais pointus se lançaient des miches de pain à la figure en hurlant.

Rose trouva le passage qu'elle cherchait :

Lady Birgitta Bliss mélangea deux poignées de ***farine****, deux poignées de* ***sucre brun****, trois* ***œufs de poule*** *et le* ***souffle doux endormi d'un qui n'avait jamais menti****. Cela se révéla être une mesure de correction modérée pour les plus abominables menteurs.**

Il n'y avait pas d'« Et cetera ». Il s'agissait d'un astérisque.

En bas de la page, elle trouva une note dissimulée dans l'illustration. Elle était difficile à déchiffrer, surtout avec la lampe de poche miniature de Rose, mais elle y parvint tout de même.

** À administrer avec un bol de lait. Sans la texture de lait de vache, de chèvre, de mouton ou de chat, non seulement les langues des menteurs seront affectées, mais le venin sagement retenu par les plus polis sera libéré. Le chaos s'ensuivra.*

— Oliver ! Tu m'as dit que ce n'était pas important ! C'est *super* important, au contraire !

— Tu es trop dure avec moi, Rosita, dit-il. Je retourne me coucher.

Il lui jeta un regard mauvais avant de fermer la porte et lui lança :

— Comme si je ne faisais jamais rien correctement. Tu es bien comme maman !

Rose réprima un frisson. Elle savait exactement ce que son frère ressentait.

Rose referma le livre et se précipita hors de la bibliothèque, oubliant presque de refermer la porte. Puis elle s'élança hors de la chambre froide et percuta de la tête une grande femme en pantalon rayé et tablier.

Rose se releva en s'époussetant, le souffle court.

Tante Lily.

Tante Lily attendait, le visage enduit de maquillage et de mystère.

— Tu veux bien m'expliquer ce que tu fabriquais là-dedans ? demanda-t-elle.

9

Les hautes voltiges de l'amour

— Mais qu'est-ce que tu fabriquais là-dedans ? répéta tante Lily. Tu es toute blanche !

Rose se retourna vers la porte en métal de la chambre froide, qui pouvait faire office de miroir, et constata que sa peau avait pris la couleur de son dentifrice.

— Je... je buvais un verre de jus d'orange, mentit Rose.

Tante Lily s'agenouilla devant elle et posa la main sur sa joue.

— Rose, tu es restée là-dedans plus de dix minutes, et je ne vois pas de jus de fruits. Sans compter que tu es gelée !

Elle l'entoura de ses bras.

— Viens donc t'asseoir là.

Rose, engourdie par le froid, se percha sur la cuisse rayée de gris comme une enfant sur les genoux du Père Noël.

— Dis-moi la vérité, maintenant, dit tante Lily d'une voix tendre. Qu'est-ce que tu caches derrière cette tapisserie ?

Rose réprima un geste de surprise. Comment Lily savait-elle qu'il y avait quelque chose derrière la tenture ? Les avait-elle espionnés quand ils avaient copié les recettes, le jour où elle avait trouvé la paillette de pantalon sur le sol de la chambre froide ?

Rose avait très envie de révéler à sa tante l'existence du livre, de lui apprendre que les Muffins de l'amour n'avaient pas marché, et que, malheureusement, les Cookies de la vérité, eux, avaient trop bien marché. Mais ses parents lui avaient ordonné de préserver le secret du *Livre de recettes des Bliss*. Elle devait leur obéir.

Alors, au lieu de tout avouer, Rose répondit à la question de sa tante par une autre question :

— Pourquoi tu nous espionnais hier matin ?

Tante Lily plongea son regard dans le sien. Rose ne put s'empêcher d'admirer ses yeux marron qui brillaient entre ses longs cils, aussi papillonnants que ceux d'une jeune fille dans un dessin animé.

— Parce que je m'inquiétais, Rose. Trois enfants qui se lèvent tôt le matin pour aller jouer dans une chambre froide, et qui, après, restent debout toute la nuit pour faire des cookies !

— Pourtant on a été super silencieux ! murmura Rose.

Tante Lily fit sonner son rire en cascade.

— Rose ! Je suis un oiseau de nuit.

Elle caressa la tête de Rose comme si elle avait cinq ans, et pas douze. Rose détestait ça.

— Écoute, je suis ravie de voir que tu t'intéresses autant à la pâtisserie, continua Lily. Tu as du talent. Mais si tu fais toutes ces cachotteries parce que tu as des ennuis, ou parce que tu as un secret…

Le pouls de Rose s'accéléra et elle sentit un truc remonter dans sa gorge, comme quand on s'apprête à régurgiter son dîner ou à cracher la vérité. Tante Lily était bien trop maligne. Elle ne pouvait décidément rien lui cacher.

— Peut-être un secret qu'on t'a demandé de garder. Un ami, ou peut-être… un de tes parents.

Rose frémit.

— Aucun adulte ne devrait jamais demander à un enfant de garder un lourd secret, déclara tante Lily d'un ton grave. C'est trop injuste.

Elle serra affectueusement l'épaule de Rose.

La jeune fille était sur le point de tout dévoiler. Lily avait raison, ses parents n'avaient pas à exiger d'elle qu'elle garde leur secret. Pas seulement celui du grimoire caché, mais aussi de leur talent de magiciens. Les seules personnes avec qui elle pouvait discuter d'éclairs en bouteille, de nuages, de chants de rossignols ou d'œil de sorcier maléfique, c'étaient ses frères, et ses frères n'en avaient rien à faire. Ses parents s'étaient arrangés pour qu'elle ne puisse se montrer honnête avec *personne*.

— Je… je…, commença Rose.

L'impatience qui se peignit un instant sur le visage de tante Lily, aussi fugace qu'un nuage emporté par un vent de tempête, suffit à réveiller la méfiance de Rose.

Qu'y avait-il chez tante Lily qui paraissait si louche aux yeux de Rose ?

— Derrière la tapisserie, il y a une autre chambre froide où mes parents gardent le chocolat de qualité supérieure, improvisa Rose. On s'y est introduits hier matin pour en manger. Mais on n'aurait pas dû. Alors j'ai fermé la porte et j'ai gardé la clef pour qu'Oliver et Origan ne reviennent pas en chaparder.

Son étouffement fut-il provoqué par l'énormité de son mensonge ? Toujours est-il que Rose fut prise d'une quinte de toux. Un bon prétexte pour quitter les genoux de sa tante.

— Merci de ta franchise, dit Lily assez sèchement, et elle se leva à son tour.

À cet instant, Nini et Origan entrèrent en trombe dans la cuisine et se mirent à sauter à pieds joints. Les casseroles et les plats vibrèrent et s'entrechoquèrent comme s'ils jouaient des castagnettes.

— Mme Carlson... s'est endormie... devant sa télé, annonça Origan, son débit entrecoupé par ses bonds.

— Arrêtez de sauter, tous les deux, leur ordonna Rose.

— J'peux pas ! dit Origan. J'peux plus m'arrêter ! Il faut que je mange quelque chose pour me faire redescendre.

— Et qu'est-ce que tu veux manger ? demanda Lily.

Origan était sur le point de répondre quand Nini le devança :

— Escargots !

— Berk ! s'écria aussitôt Origan en faisant mine de vomir et en se roulant par terre.

Rose savait qu'il ne jouait pas la comédie : rien que de parler d'escargots lui donnait la nausée.

Même tante Lily fit la grimace.

— Elle veut manger des escargots du jardin ? interrogea-t-elle.

— Non, répondit Rose. Elle veut déguster des escargots chez Pierre Guillaume.

Rose avait l'habitude de ce rituel. Chaque semaine, ils déjeunaient en famille dans ce restaurant français. C'était étrange qu'une fillette de trois ans aime autant les escargots, mais depuis que Nini avait goûté un de ces mollusques caoutchouteux enrobés d'ail et de beurre, elle ne pouvait plus s'en passer.

— Nini a besoin de manger des escargots une fois par semaine, sinon elle est de mauvaise humeur.

Le visage de tante Lily s'éclaira.

— Un bistro ? s'écria-t-elle en imitant l'accent français.

Puis tante Lily se tourna vers Origan qui se tenait encore le ventre en se tortillant sur le sol.

— Et Origan ?

— Oh, il évite de la regarder quand elle mange.

Rose enfila sa robe préférée, bleue avec une taille très haute. Elle savait qu'elle ne serait jamais belle : ses sourcils étaient trop noirs, son nez trop court. Mais au moins, dans cette tenue, elle était plus avenante… Plus jolie ?

Elle aida Nini à ôter son tee-shirt à rayures rouges et blanches crasseux. Puis elle lui passa la tenue rouge et blanc de rechange qu'Albert et Céleste gardaient à portée de main pour les occasions où leur cadette devait être présentable. Nini insista pour emmener son appareil Polaroid.

Pendant ce temps-là, tante Lily descendit fouiller dans sa valise qui semblait receler une garde-robe infinie. Quand elle remonta, elle avait un look indéniablement français : un tee-shirt marin rayé bleu et blanc complété par un béret noir posé de travers sur sa tête. Chip garda la chemise qu'il portait et Origan parut satisfait du tee-shirt bleu trop grand dans lequel il avait transpiré toute la matinée. Au moins, ils respiraient la joie de vivre, à défaut d'être « chic ».

À l'exception de tante Lily, qui aurait eu l'air merveilleuse même vêtue d'un sac à patates. Elle posa sur son nez une jolie paire de lunettes de soleil, ouvrit grand les bras et s'écria :

— Nous voici tous prêts ! La pâtisserie est fermée pour la journée, et nous allons en profiter !

Si leur tante avait bien une qualité, se dit Rose, c'était de répandre la gaieté autour d'elle.

Ils se dirigèrent vers la grande place. Accrochée aux mains de Rose et de Lily, la petite Nini se balançait entre elles tel un singe. Chip et Origan fermaient la marche.

Rose jeta un regard à sa tante qui, le visage levé vers le soleil, savourait chaque seconde de cette belle journée comme s'il s'agissait d'un pudding à la vanille.

— Tu sais ce que je ressens en cet instant, Rose ? demanda Lily avec un sourire.

Rose secoua la tête.

— Je me sens insouciante, ajouta Lily d'une voix sifflante, *in... sssssssou... ssiante*. Je suis sans souci ! N'est-ce pas merveilleux ?

— Dans ce cas, moi aussi je suis insouciant, intervint Chip.

Rose relâcha ses épaules qui étaient si tendues depuis plusieurs heures qu'elles touchaient presque ses oreilles. Sa robe de coton s'agita au vent et vint lui caresser les jambes comme un chaton câlin. Pendant un instant, elle eut l'impression que tout allait bien se passer. Quelques bibliothécaires trop honnêtes, ce n'était pas la fin du monde. Les cookies finiraient par épuiser leur pouvoir, et l'ordre serait rétabli. Rose reprendrait son rôle de fille sage qui faisait tout comme il faut.

Ils débouchèrent bientôt sur la grande place de briques rouges qui étincelait au soleil. Au centre trônait la statue du fondateur de la ville, Reginald Calamity, immortalisé en train de traire une vache. Pendant l'été, la statue se transformait en fontaine : des jets d'eau s'échappaient des pis de l'animal. Rose trouvait que c'était de mauvais goût. Le conseil municipal de Calamity Falls aurait dû la remplacer par quelque chose de moins… laiteux.

Tante Lily s'arrêta devant la vache-fontaine.

— Hum… Intéressant.

Alors qu'ils dépassaient la statue pour se diriger vers la terrasse de chez Pierre Guillaume, Rose aperçut une file d'attente de plus de cinquante personnes devant le restaurant.

— Qu'est-ce qui se passe ? s'exlama-t-elle. Depuis quand on a besoin de réserver chez Pierre Guillaume ?

Puis elle se rendit compte que c'était plutôt un attroupement bruyant qu'une file d'attente. Tout le monde avait les yeux rivés sur le toit du restaurant, sur lequel Pierre Guillaume, quelques mois auparavant, avait fait édifier une réplique de la tour Eiffel d'une hauteur de quatre étages.

Et elle comprit soudain ce que les gens regardaient.

M. Phibien escaladait le symbole de la France !

Ayant atteint le toit grâce à une échelle adossée à la façade, il grimpait à présent sur la tour elle-même. Les habitants de la ville hurlaient.

— Monsieur Phibien ! Ne faites pas ça !

— Revenez ! Descendez de là !

Mais le charpentier faisait la sourde oreille.

Pierre Guillaume, accoutré de son tablier et de sa toque de chef, sortit de son restaurant, pour accueillir la foule.

— Oh la la! s'écria-t-il. Je n'ai jamais vu autant de clients ! Certains d'entre vous vont devoir attendre, mais ne vous inquiétez pas, tout le monde sera serv...

Il s'arrêta quand il se rendit compte que l'attroupement n'était pas causé par sa gastronomie.

— Oh la la la la ! répéta-t-il en apercevant M. Phibien. Il se retourna et regarda en l'air.

Le cœur de Rose se mit à battre très fort. Cet exploit d'alpiniste était-il le résultat du cookie que Chip avait offert tout à l'heure à M. Phibien ? Était-il dû au muffin de la veille ? Serait-ce la conséquence naturelle des deux recettes magiques qui s'étaient mélangées dans l'estomac de cette grenouille timide ?

Pierre Guillaume était au bord des larmes.

— Monsieur ! Monsieur ! cria-t-il en français. Excusez-moi ! Vous ne pouvez pas grimper là-dessus ! C'est une tour Eiffel, elle ne peut pas soutenir votre poids ! Monsieur ! Vous risquez de vous rompre le cou !

M. Phibien, imperturbable, poursuivait son ascension.

Pierre Guillaume, paniqué, courut vers la caserne des pompiers.

— À l'aide, à l'aide ! L'homme-grenouille est sur ma tour !

M. Phibien atteignit le sommet. Il enroula ses bras maigrichons et ses jambes frêles autour des piliers en faux acier, tout à fait comme une grenouille. Il s'agrippa de toutes ses forces quand une rafale de vent fouetta ses cheveux blancs hirsutes.

Il baissa les yeux vers la foule, l'air terrifié, puis leva la tête vers le ciel. Rose espérait qu'il était juste devenu fou, et que cet incident n'avait rien à voir avec les cookies, les muffins ou Mlle Chardon.

C'est alors qu'il se mit à hurler.

— Moi, Bertrand Phibien, j'aime à la folie Mlle Felidia Chardon !

Rose serra les dents. Le pire était arrivé. Les Muffins de l'amour et les Cookies de la vérité avaient fusionné en un sort encore plus puissant.

— Je brûle de mordiller ses doigts de fée ! lança-t-il avec un sourire extatique. Oh, je veux lui embrasser le nez et lui faire la cuisine ! Je veux lui mettre de la crème sur les joues et lécher son adorable visage.

Les habitants en bas étaient si gênés qu'ils baissèrent la tête.

— Felidia Chardon est la créature la plus incroyable de toute la ville ! continua M. Phibien. Et de toutes les villes, d'ailleurs. Je veux la voir écraser du raisin avec ses pieds ! Je ferai d'elle ma reine !

Sur ces paroles, M. Phibien leva les bras en l'air tout en restant cramponné avec les jambes. La tour grinça et se mit à pencher un peu vers la droite. Une horrible grimace déforma les traits du charpentier perché et il agrippa de nouveau la tour avec ses quatre membres.

Mais personne ne le regardait plus. Tout le monde s'était tourné vers la statue de marbre de Reginald Calamity, d'où Mlle Chardon regardait le toit de Pierre Guillaume comme si un vaisseau spatial venait d'y atterrir.

M. Phibien aperçut lui aussi Mlle Chardon devant la fontaine.

— Felidia! hurla-t-il. Tu es mon ange, mon cake à l'orange, ma petite crêpe! La seule que j'aime! Dis-moi que tu m'aimes aussi!

Mlle Chardon sembla sur le point de dire quelque chose, mais elle plaqua ses mains sur sa bouche et son discours resta coincé entre ses dents.

Lâchant de nouveau les mains, M. Phibien retira son pull à grenouilles et tout le monde put découvrir son tee-shirt minuscule sur lequel était écrit ÉPOUSE-MOI ! en lettres rouge sang.

— Felidia! Laisse-moi être ton prince grenouille! hurla-t-il.

Mlle Chardon cria:

— Je...

Mais le son de sa voix fut étouffé une nouvelle fois, ce coup-ci parce qu'elle s'était couvert la tête avec son pull à col roulé.

M. Phibien fit alors quelque chose de franchement embarrassant. En se tenant d'une main seulement à la tour, il défit les boutons de son pantalon et, enlevant une jambe après l'autre, le laissa tomber sur le toit de Pierre Guillaume.

M. Phibien tourna vers la foule son postérieur recouvert d'un boxer rouge à pois où il avait écrit au feutre les mots suivants: OUI OU NON ?

— C'est dégueulasse, marmonna Chip.

La petite Nini gloussa.

Origan avait l'air de plus en plus nauséeux.

Tante Lily se tourna vers Rose.

— Il faut avouer qu'il a du cran, apprécia-t-elle.

Mais Rose ne pouvait quitter du regard Mlle Chardon, qui secouait la tête si violemment que ses lunettes avaient valsé dans la fontaine.

— Bertrand Phibien ! cria-t-elle enfin. Moi aussi je t'aime ! Je te veux pour prince grenouille ! Jamais de toute ma vie je n'ai vu un homme si magnifiquement Phibien ! Tu es mon trésor ! Viens m'embrasser !

Quand elle eut terminé, Mlle Chardon loucha puis se couvrit à nouveau la bouche, horrifiée, comme si celle-ci l'avait trahie. Elle partit en courant en direction de l'école.

— Reviens, ma tendre Felidia ! cria M. Phibien.

Une sirène déchira l'air et, l'instant d'après, le camion de pompiers de Calamity Falls fit son entrée sur la place.

— Là ! hurla Pierre Guillaume en désignant du doigt le toit du restaurant. Cet homme est sur le point de briser ma Tour Eiffel !

La foule s'écarta pour laisser passer le camion.

Le capitaine Conklin sauta à terre et leva son mégaphone.

— Bertrand Phibien ! Si vous ne descendez pas tout de suite, on vient vous chercher !

M. Phibien secoua la tête.

— Je ne bougerai pas d'ici tant que la femme que j'aime n'aura pas accepté de m'épouser !

Deux pompiers déplièrent la grande échelle de douze mètres et l'appuyèrent contre le sommet de la tour.

— Non mais… il a pris quoi, ce type ? grogna l'un d'eux.

Rose déglutit. Elle savait exactement quoi. Tout était sa faute. Que feraient ses parents s'ils étaient là ? Ils auraient sûrement une solution pour réparer sa bêtise. Même si, pour commencer, ils ne se seraient jamais mis dans une situation pareille.

M. Phibien n'avait pas plus tôt été ramené sur la terre ferme que la tour se mit à gronder et à chanceler sous l'effet du vent.

— Oh, non ! dit Rose.

— Ouais ! s'écria Origan, les yeux écarquillés. La tour s'écroule !

Nini pointa son appareil photo en l'air et appuya sur le bouton.

Une nouvelle rafale donna le coup de grâce au faux monument. On entendit un grand « crac » et la tour tomba lentement, droit sur la foule.

— Dégagez le terrain ! hurla Chip en soulevant Nini d'un coude et Origan sous l'autre bras.

La foule se dispersa sur les côtés tandis que la tour s'effondrait au milieu de la place. Les débris bombardèrent le trottoir et la chaussée pile devant le restaurant avec un fracas assourdissant.

— Noooooonnn ! hurla Pierre Guillaume en se prenant la tête entre les mains, puis il éclata en sanglots.

Rose sentit quelqu'un taper sur son épaule. Elle se retourna et vit Oliver qui se passait la main dans ses cheveux savamment ébouriffés.

— C'est quoi ce cirque ? marmonna-t-il, peu impressionné par les dégâts. Je faisais la sieste, j'ai tout loupé.

Il portait un jean légèrement froissé et une chemise bleu marine à manches longues.

— Il faut qu'on parle, chuchota Rose en entraînant son frère vers la fontaine. M. Phibien et Mlle Chardon sont devenus fous. M. Phibien a escaladé la fausse tour Eiffel et déclaré sa flamme à Mlle Chardon, et Mlle Chardon n'a pas pu s'empêcher de lui déclarer la sienne. La combinaison Muffin de l'amour et Cookie de la vérité est mortelle ! Il faut qu'on trouve un moyen de réparer ça, tout de suite, avant que tante Lily ne se rende compte de ce qui se passe, et surtout avant que papa et maman apprennent que toute la ville est devenue dingue par notre faute.

Oliver fronça son beau nez droit.

— Aïe !

— Quoi, encore ? demanda Rose en levant les yeux au ciel.

— Il y a pire, déclara Oliver, l'air coupable. J'ai refilé des Muffins de l'amour et des Cookies de la vérité…

Après une seconde d'hésitation, il termina sa phrase :

— … à quelques filles de ma classe.

10

Cris en tous genres

Il n'y avait plus rien à voir.

La foule qui s'était rassemblée pour observer M. Phibien se dispersa. Quelques vieilles dames allèrent s'asseoir sur la margelle de la fontaine Reginald Calamity. Elles soupiraient en disant qu'elles aimeraient bien qu'un homme monte sur une tour rien que pour les demander en mariage. Plusieurs messieurs sirotaient leur café en se plaignant que les tours n'étaient plus aussi solides que de leur temps. Lily et Chip, plantés devant le menu de Pierre Guillaume, discutaient de ce qu'ils allaient manger. Les sanglots du grand cuisinier étaient noyés dans le vacarme de la grue jaune qui soulevait les débris de la tour et les laissait retomber avec fracas dans une benne en métal rouillé.

Rose et Oliver se tenaient dans l'ombre de l'auvent, devant le cabinet de Karen Publickson, l'avocate. Ils se demandaient ce qu'ils allaient bien pouvoir faire.

Par la fenêtre, Rose distinguait la silhouette de maître Publickson assise à son bureau. Elle était très chic dans son tailleur bleu marine, avec ses cheveux noirs bien coiffés en queue-de-cheval. « Peut-être devrais-je devenir avocate plutôt que magicienne-pâtissière, se dit Rose. Quand une avocate commet une erreur, il arrive rarement qu'un homme monte sur une tour et descende son pantalon. »

Elle avait les lèvres pincées de rage et de désespoir.

— Oliver, parvint-elle toutefois à articuler, *pourquoi* tu as donné des Muffins de l'amour et des Cookies de la vérité à des filles de ta classe ?

Oliver haussa les épaules. C'était pas croyable : il était content de lui !

Rose se retint de lui taper sur la tête. Car, au fond, si l'occasion se présentait de faire consommer à Devin Stetson des Muffins de l'amour et des Cookies de la vérité, résisterait-elle à la tentation de lui en offrir ? Rien n'était moins sûr.

À cet instant, le calme de la place baignée de soleil fut rompu par un cri strident. Une agression ? Personne n'avait jamais été attaqué à Calamity Falls, et encore moins en plein jour sur la grande place.

C'était Lindsey Borzini. Elle fonçait droit vers le cabinet de Karen Publickson. Ou plutôt… droit sur Oliver.

— C'est lui ! hurla-t-elle. C'est… c'est… OLIVER !

Lindsey, la fille aînée de M. Borzini, le propriétaire de la graineterie du même nom, était connue pour avoir le pire bronzage de tout Calamity Falls. Si son père ressemblait à une cacahouète, elle avait tout d'une carotte à deux bras rôtie.

D'une main elle brandissait un magazine à la couverture colorée et de l'autre un marqueur. Était-ce le dernier numéro de *Fan 2* ? Oliver aurait-il récemment enregistré une chanson à l'insu de Rose? Une chanson en train de devenir un tube?

En fait de magazine, il s'agissait de l'album annuel du collège de Calamity Falls. Oliver l'ayant quitté en juin, il y avait une photo de lui en compagnie de ses camarades de classe. Ce jour-là, ses cheveux bruns étaient encore plus pointus et pleins de gel que d'habitude.

Deux choses étaient claires:

1. Lindsey Borzini voulait l'autographe de son frère.
2. Lindsey Borzini était sous l'influence des gâteaux magiques.

À la seconde où l'adolescente allait piler devant eux, M. Borzini déboula de nulle part, se jeta sur sa fille et la plaqua au sol. Ils luttèrent un moment sur le pavé de la place. Lindsey hurlait et tendait les bras vers Oliver. M. Borzini la maintenait au sol par les épaules et tentait d'éviter ses coups de poings furieux.

— Mais qu'est-ce qui te prend, mon petit chou à la crème? s'écria le grainetier.

Lindsey n'avait qu'un mot à la bouche:

— OLIIIIIIIIIIIIIIIIIIVER!

M. Borzini leva un regard ahuri vers Oliver.

— Elle est comme ça depuis ce matin. Je ne sais pas ce qui ne tourne pas rond chez elle. Peut-être que tu pourrais... lui dire bonjour?

Oliver s'approcha et se mit à genoux. Lindsey s'agrippa à son jean.

— Heu... bonjour, murmura Oliver.

Les yeux de Lindsey s'écarquillèrent, son visage prit une expression sereine et ses yeux se fermèrent.

— Elle s'est encore évanouie, soupira M. Borzini. Pour la cinquième fois aujourd'hui. Dès qu'elle entend ton nom, Oliver, ou qu'elle regarde ta photo.

Oliver eut un sourire en coin. Rose lui donna une petite tape sur l'arrière du crâne.

— Je ne comprends pas. Je sais bien que tu es beau, Oliver, dit M. Borzini, mais faut quand même pas exagérer.

Le grainetier souleva Lindsey dans ses bras et s'éloigna d'un pas lourd, accablé.

Comme s'il avait lu dans les pensées de sa sœur, Oliver se tourna vers Rose.

— Je *sais*, je sais. On va trouver une recette pour tout arranger.

Lily et Chip s'avancèrent vers eux, flanqués d'Origan et de Nini.

— C'était quoi, cette histoire ? demanda Origan.

— On dirait qu'Oliver a une grande admiratrice ! s'exclama tante Lily en posant sa main sur son épaule. Ce n'est pas surprenant, mon ange. Tu as l'air d'un top model. En petit et très jeune. Un top model miniature !

Les belles joues d'Oliver virèrent au cramoisi.

— Eh ! dit Origan. Ça aurait pas quelque chose à voir avec ce que vous fabriquiez hier ? Vous nous avez fait courir toute la journée après Nini, non ? Et je sais que vous avez fait des cookies cette nuit.

Il mit ses mains sur ses hanches, comme leur mère quand elle les grondait. Les taches de rousseur sur son nez ressortaient. Rose se dit qu'il était peut-être temps d'arrêter de lui mentir. Son petit frère était plus perspicace qu'elle ne l'avait cru.

— Vous auriez fait exprès de me faire courir après Nini ? marmonna Lily, sidérée.

— Bien sûr que non, mentit Oliver d'un ton faussement indigné. On ne ferait jamais une chose pareille à notre tata préférée.

Il y avait peut-être un moyen de sortir de cette fâcheuse situation, se dit Rose.

— Dites, les amis, les apostropha-t-elle, je vous rappelle que nous avons laissé la pâtisserie dans un bazar noir et qu'il serait largement temps de nettoyer.

— On dirait qu'une bombe à gâteau y a explosé, enchérit Oliver.

— Alors, vous savez quoi ? Oliver et moi on va aller faire le ménage, et vous, vous n'avez qu'à savourer un excellent repas français. Qu'en dites-vous ?

— Ouais ! Oliver et Rose vont tout nettoyer ! se réjouit Origan.

— Ah, non, dit Rose, toi, tu vas venir nous aider, Origan.

Lily et Chip échangèrent un regard perplexe, puis tante Lily haussa les épaules.

— Bon, d'accord ! C'est gentil ! Et maintenant, des escargots pour Nini !

Nini secoua la tête.

— Non, veux pas.

Lily fit une moue amusée.

— Comme tu voudras, mais Chip et moi on va *quand même* déjeuner. D'ailleurs, j'avais justement besoin de parler à Chip seule à seul.

Elle se fendit d'un sourire malicieux... ou plutôt diabolique.

Chip hoqueta d'émotion quand Lily passa son bras sous le sien et l'entraîna à l'intérieur.

Origan faisait la tête.

— Pourquoi je suis obligé de vous aider à nettoyer ?

Rose, Origan et Oliver se mirent en cercle. Nini se faufila entre ses frères et sa sœur, s'assit au centre et retira ses chaussures.

— Origan, je suis sur le point de te révéler des informations top secrètes. Tu crois que tu peux tenir ta langue ? demanda Rose.

Origan retrouva d'un seul coup le sourire. Il hocha la tête avec enthousiasme.

— Je le jure sur ma vie !

Cela n'avait rien de rassurant, mais Rose poursuivit tout de même :

— On a des problèmes avec *tu-sais-quoi*, expliqua-t-elle. On a utilisé une recette, et elle a mal tourné.

Oliver lui coupa la parole :

— En fait, elle a trop bien marché. Maintenant il faut qu'on retourne à la maison et qu'on trouve un moyen d'annuler ses effets.

— Exactement..., opina Rose. Alors, ta mission, si toutefois tu l'acceptes...

— Tu peux compter sur moi, déclara Origan.

— ... est de surveiller Nini pendant qu'Oliver et moi on s'occupe de trouver la recette-qui-va-tout-arranger.

Rose sourit, heureuse d'associer son petit frère à leur aventure.

— Ah, non ! cracha Origan en faisant mine de s'éloigner. Le baby-sitting, ça n'a rien à voir avec du travail d'espionnage ! Je veux être en plein dans l'action !

Nini se releva tout à coup en criant :

— Moi aussi, action !

— Bon, d'accord, grogna Oliver.

— On n'a pas beaucoup de temps devant nous, dit Rose. Et cette fois, on n'a pas le droit à l'erreur.

Alors qu'ils longeaient la pelouse devant l'école primaire de Calamity Falls, Rose, Origan, Oliver et Nini entendirent des enfants hurler comme s'ils étaient montés sur un manège fou. Éparpillés sur le gazon, ils étaient près de deux cents à jouer à la guerre.

La moitié d'entre eux avaient peint leur visage en jaune vif et protégeaient la partie nord. Les autres, au visage bleu vif, patrouillaient dans le sud. Les bleus se cachaient derrière des bureaux de professeurs qu'ils avaient traînés dehors et qui leur servaient de barricade. Un tas de bombes à eau – des ballons bleus – étaient empilées à côté d'eux.

— C'est un jour de semaine, murmura Rose. Pourquoi ne sont-ils pas en classe ?

— M. Fanner ne va pas être content, fit observer Origan d'un ton cérémonieux.

Rose et Oliver, qui étaient tous deux passés par l'école primaire de Calamity Falls, avaient vécu dans la terreur du directeur. Chaque matin, M. Fanner arpentait les couloirs et distribuait des heures de colle sur papier rose pour le moindre lacet défait.

Il se produisit alors quelque chose d'étrange. Les enseignants chargés des cours d'été (à l'exception de Mlle Chardon) défilèrent au milieu du champ de cette bataille de ballons, dans le plus grand silence et sans le moindre geste de protestation. Ils suivaient le directeur comme des moutons. Avec son éternelle veste en tweed et ses petites lunettes rondes, M. Fanner ressemblait à un prof de l'ancien temps. Et aujourd'hui, il souriait !

Rose ne l'avait jamais vu sourire, au point qu'elle s'était demandé s'il avait bien des dents.

Mais lorsque M. Fanner aperçut les enfants Bliss sur le trottoir, son sourire s'évanouit. Il leva un doigt et se mit à l'agiter.

— Pourquoi n'êtes-vous pas à la pâtisserie ? s'enquit-il, furieux.

— Oh, monsieur le directeur, expliqua Rose, on a eu quelques petits problèmes techniques. La pâtisserie est fermée jusqu'à demain.

Le groupe des profs poussa des soupirs de déception.

— Et maintenant qu'est-ce qu'on fait ? s'écria Mme Spatz, la maîtresse de CE2 dont les deux dents de devant se chevauchaient.

M. Fanner pointa son doigt entre les deux yeux de Rose.

— J'ai fermé l'école plus tôt exceptionnellement parce que j'ai une envie irrésistible de gâteaux. Mes amis ici présents en veulent aussi. Et tu es en train de nous dire que nous n'en aurons pas ?

Rose se souvint soudain de la liste de ceux qui avaient ingurgité les Cookies de la vérité : « Mlle Chardon… tous les profs, en fait. » C'était bien ce qu'avait dit Chip, n'est-ce pas ?

Elle n'aurait jamais cru que des profs pouvaient être aussi gourmands.

— Puisque c'est comme ça, déclara M. Fanner, on ira ailleurs. Au Starbucks de Humbleton.

Il passa d'un air hautain devant Rose et s'éloigna, suivi de la ribambelle des profs.

— Mais *qu'est-ce* que vous avez fait ? lança Origan, horrifié, à son frère et à sa sœur.

Rose, Oliver, Origan et Nini trouvèrent dans la cuisine de la pâtisserie Bliss une Mme Carlson follement agitée.

— Où étiez-vous, les enfants ? s'exclama-t-elle avec un accent écossais encore plus prononcé que d'habitude.

— Vous vous étiez endormie, madame Carlson, alors on est sortis déjeuner, expliqua Origan.

— Je veux bien passer l'éponge pourrr une fois, grommela-t-elle. Mais ne disparrraissez plus de ma vue comme ça. Vos parrrents ont téléphoné. J'ai été obligée de leur mentirrr en leur disant que vous étiez tous sous la douche !

— En même temps ? demanda Oliver.

— Je ne sais pas s'ils m'ont crrrue… En tout cas, je ne vous quitte plus des yeux.

Elle était si énervée que les rouleaux de ses bigoudis pendouillaient, à moitié détachés de ses boucles blondes.

— D'accord, madame Carlson, acquiesça Rose. Mais vous voulez bien surveiller Nini dans le jardin pendant qu'on nettoie ce bazar ?

Mme Carlson hocha la tête. Une minute plus tard, elle poussait la petite fille sur la balançoire. Rose l'entendit crier :

— Tu n'as pas intérrrêt à me prrrendre en photo, mon lapin !

Rose poussa un soupir de soulagement.

Certains à présent que Mme Carlson ne les verrait pas, ils entrèrent dans la chambre froide à la queue leu leu, Oliver ouvrant la marche avec une lampe torche.

— Ouf, murmura Rose en refermant la porte derrière elle.

Origan souleva deux boîtes d'œufs sur l'étagère, à quelques centimètres de la poignée en forme de rouleau de pâtisserie qui ouvrait le passage vers la cave secrète.

— Remets ça à sa place ! hurla Rose en replaçant elle-même les boîtes.

— Ben quoi ? protesta-t-il. C'est que des œufs !

— Fais ce que te dit Rose, lui ordonna Oliver.

Origan adressa à Rose un sourire penaud. Il faisait tout ce que son grand frère lui commandait, même se montrer sympa avec sa sœur.

Rose fit un clin d'œil à Oliver et ouvrit la porte de la bibliothèque. Tous trois entourèrent le *Livre de recettes des Bliss*, qui trônait sur son pupitre en bois. Allaient-ils trouver un antidote à toute cette folie ? Une sorte de gomme magique ?

— Là, indiqua Oliver.

Rose lut la recette à voix haute.

Biscuits assis-et-plus-un-mot

Madame Hannah Bliss confectionna ces biscuits en 1895 dans le Lower East Side de Manhattan, où elle était maîtresse d'école. Cette année-là, elle eut dans sa classe des élèves si turbulents qu'elle leur en fit avaler. Ils ne furent plus capables de prononcer un seul mot de toute l'année scolaire. On aurait dit que leurs lèvres étaient scellées.

Nota bene : *Madame Hannah Bliss regretta par la suite d'avoir utilisé ces biscuits. En effet, elle fut accusée d'avoir rendu muets les enfants sous sa responsabilité.*

Oliver hocha la tête avec un sourire

— Ça devrait faire taire tout le monde, non ?

— Non, Oliver ! s'exclama Rose. On ne veut pas les rendre muets, on veut seulement annuler les effets des gâteaux précédents. Inverser les choses…

Rose se rendit à la fin du livre. Elle y trouva une série de feuilles reliées, plus petites, cachées dans un repli de la couverture.

La première page de la section était intitulée L'APOCRYPHE D'ALBATROSS. Le papier était différent, plus fin, plus gris, rugueux comme une langue de chat. Aucune des recettes ne comportait de date ni d'anecdote illustrant ses origines. Et puis ce nom, Albatross… c'était très étrange, vraiment. Lily ne leur avait-elle pas dit que son arrière-arrière-arrière-grand-père s'appelait justement Albatross ?

Elle sortit le cahier gris de sa cachette et le feuilleta rapidement. Une recette retint son attention :

Gâteau retourné, inversé, renversé

— C'est exactement ce qu'il nous faut, dit Rose avec assurance. Quelque chose pour tout inverser.

Origan secoua la tête.

— Je sais pas… Ce livret m'a l'air plutôt louche.

— Oui mais je préfère encore essayer quelque chose qui a été ajouté au livre plus tard que de coudre les lèvres de tout le monde, déclara Rose.

Oliver et Origan échangèrent un regard approbateur et Rose sortit son cahier pour recopier la recette.

En sortant de la chambre froide, ils trouvèrent Mme Carlson dans la cuisine avec Nini.

— Il y a quelque chose qui ne tourrrne pas rrrond chez cette enfant, déclara Mme Carlson.

Son visage était encore plus perplexe que d'habitude.

Rose tourna un regard interrogateur vers Nini, qui était assise sur le sol. La petite fille chantait à tue-tête :

— Ma famille a un livre de recettes magiques ! Ils le gardent dans le frigo ! Rose a la clef ! Ma famille a un livre de recettes magiques ! Ils le gardent dans le frigo ! Rose a la clef !

Rose regarda l'assiette de Cookies de la vérité : il n'en restait que des miettes.

— Nini a mangé des cookies ? demanda-t-elle.

— Et comment ! soupira Mme Carlson. Je l'ai amenée ici parce que j'avais besoin d'aller aux toilettes, et elle a avalé tout le contenu de l'assiette ! On laisse cette enfant seule une minute, et voilà ce qui arrive !

— Ma famille a un livre de recettes magiques ! hurla Nini.

— Anis Bliss, arrête ! Tais-toi ! cria Oliver.

Mais Nini continuait de brailler les mêmes phrases, comme un disque rayé.

— Pourquoi parle-t-elle d'un livrrre de rrrecettes magiques ? interrogea naïvement Mme Carlson.

— J'en sais rien, répondit Rose. Elle a toujours eu beaucoup d'imagination.

Rose paniqua. Et si tante Lily revenait maintenant ? Elle découvrirait *leur secret* !

Rose n'eut même pas le temps de réfléchir à une solution qu'un raz de marée de hurlements déferlait sur la pâtisserie.

— Qu'est-ce que c'est que ce vacarrrme ? marmonna Mme Carlson.

Rose compta à vue de nez une vingtaine de filles en train de griffer la porte avec leurs ongles, de frapper aux carreaux et de presser leurs lèvres contre la vitrine. Et il y en avait d'autres derrière elles. Toutes brandissaient l'album de fin d'année du collège.

— Oliver, dit Rose, tu m'avais parlé de *quelques* filles !

— Heu… fit Oliver d'un ton détaché… Quelques *dizaines* ?

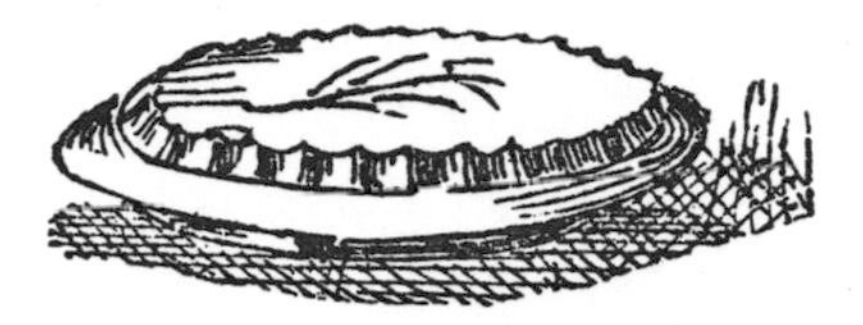

11

Recette numéro trois :
Le Gâteau retourné-inversé-renversé

Six filles enragées se pressaient à la porte donnant sur le jardin, leurs faces rouges écrasées contre la vitre. D'autres sautaient sur le trampoline dans l'espoir d'apercevoir Oliver dans la cuisine par-dessus les têtes de leurs camarades. Il y en avait plusieurs perchées sur la balançoire. Une fille téméraire était même montée sur la grille du barbecue tout rouillé. Elles ouvraient des yeux gros comme des balles de ping-pong.

C'était un spectacle effrayant.

Lorsque le bel Oliver redressa un des épis de sa coiffure en pétard, il s'éleva à l'extérieur un cri de ravissement unanime.

— Qu'est-ce que ces ados en furrrie font là ? s'écria Mme Carlson.

Rose franchit les portes battantes qui séparaient la cuisine de la pâtisserie.

En la voyant, la foule devant la vitrine laissa échapper un « *Hooooooooou* » de déception.

— Allez-vous-en ! hurla Rose. Oliver ne vous aime pas !

Il y avait tellement de tapage qu'elle aurait aussi bien pu se taire.

Une voix se détacha pourtant du brouhaha :

— S'il ne sort pas tout de suite, je fais un malheur !

Une grande fille musclée se fraya un passage en bousculant les autres sans vergogne. Rose la reconnut tout de suite : c'était Cléa Molett.

Ses longs cheveux bouclés étincelaient de blondeur. Ses lèvres étaient d'un rouge éclatant. Sur son épaule se balançait un sac dont dépassait la tête d'un chihuahua tremblant de peur. Les autres filles n'osèrent pas protester.

Cléa frappa la vitrine des deux poings en hurlant :

— Je vais mettre le feu à tous les meubles de la boutique de mon père, et je vais les lancer dans cette pâtisserie !

Les autres l'imitèrent et se mirent à frapper la vitrine de toutes leurs forces. Craignant que le verre ne se brise, Rose pensa qu'il valait peut-être mieux leur donner ce qu'elles voulaient.

— D'accord, d'accord, dit-elle. Je vous l'amène. Mais, s'il vous plaît, arrêtez de cogner !

Cléa Molett leva une main autoritaire. Les coups et les cris cessèrent d'un seul coup.

De retour dans la cuisine, Rose trouva Oliver recroquevillé derrière la table à découper roulante.

— Elles veulent te voir, déclara Rose.

— Cette mascarrrade est grrrotesque ! protesta Mme Carlson.

Sur ce, elle se rendit côté pâtisserie et entrouvrit la porte d'entrée.

— Vous devrrriez avoirrr honte ! Rrretournez chez vos parents !

Cléa Molett saisit Mme Carlson par ses bigoudis et peu à peu l'Écossaise disparut, happée par la foule en folie.

Rose se tourna vers Oliver.

— Il faut que tu ailles à la porte. Tout de suite ! Elles ont Mme Carlson ! Qui sait ce qu'elles vont lui faire !

Oliver dévisagea sa sœur d'un air terrorisé.

— Mais... mais... je n'aime aucune de ces pestes !

— Dépêche-toi, dit Rose en le poussant. Tu es le seul à pouvoir les calmer.

— Ah, vraiment ? Et comment je dois m'y prendre, tu peux me dire ?

Rose pensa à son bien-aimé Devin Stetson.

— Embrasse leur chef. Cléa Molett.

— Cette gosse de riche prétentieuse ? Je préférerais encore embrasser Mme Carlson !

— Ça peut s'arranger, dit Rose en rigolant.

Oliver tomba carrément à genoux.

— Rose, je t'en supplie ! Si je m'approche de cette bouche de poisson pailletée, ma vie sociale au lycée sera fichue. Cléa me gardera prisonnier comme ce pauvre petit chihuahua. Tu veux faire de moi un chien dans un sac à main, Rose ? C'est ça, ta magie ?

Rose poussa un soupir d'exaspération.

— Tu n'es pas obligé de l'embrasser pour de vrai. Tu dois juste faire en sorte qu'elle s'évanouisse... pour qu'elle ne casse pas la vitrine ! C'est pourtant pas compliqué.

Rose entraîna Origan et Nini à la suite de leur frère, qui se rendit dans la pâtisserie en traînant les pieds. Lorsqu'elles l'aperçurent, les filles se mirent à hurler comme s'il s'agissait de Justin Bieber.

— C'est encore plus merveilleux que quand papa m'a acheté un hélicoptère pour mes seize ans ! hurla Cléa Molett. Et j'*adoooooooooore* les hélicoptères !

— Qui ne tente rien n'a rien, marmonna Oliver.

Il sortit le mégaphone d'Albert du placard et, s'agenouillant devant la porte, en plaqua le pavillon contre la fente de la boîte aux lettres.

— Cléa Molett, prononça timidement Oliver à travers le porte-voix.

— Oui, mon délicieux canari !

— Heu... embrasse-moi. Heu... à travers la vitrine.

— Ouiii ! s'écria Cléa.

Sa bouche étincelante se colla contre le verre comme un mollusque gluant. Oliver approcha ses lèvres avec prudence.

Origan eut un haut-le-cœur. Nini proclama en riant :

— Ma famille a un livre de recettes magiques !

Et elle prit une photo de la foule hurlante.

— Ça marche ! cria Rose à son grand frère. Regarde !

Oliver n'avait pas plus tôt posé ses lèvres sur la vitre que Cléa était entrée en transe. Elle s'effondra sur le sol.

— Fais la même chose avec les autres !

— Tu crois ? fit Oliver, dégoûté.

— Non, heu... dis-leur des choses tendres. Elles seront tellement bouleversées qu'elles en tomberont dans les pommes !

En fait, Rose s'amusait énormément. Voir son grand frère terrifié, ce n'était pas banal. Lui qui crânait tellement d'habitude, et qui se fichait de tout, de la pâtisserie, de sa sœur... voilà qu'il se tournait vers elle pour lui demander des conseils !

— Des choses tendres ? gémit Oliver. Mais regarde-les ! Tu trouves qu'elles méritent qu'on soit sympa avec elles ?

— On n'a pas le temps de discuter, Oliver ! Il faut *agir* ! Alors vas-y, invente des trucs gentils.

— Callie, dit Oliver dans le mégaphone.

Une fille avec des couettes châtain foncé s'avança vers la vitrine.

— Tu as une chevelure souple.

Les yeux de Callie roulèrent derrière ses paupières. À son tour, elle s'effondra de plaisir.

— Jenna, dit-il à une petite myope aux dents appareillées. Tu portes des lunettes et un appareil dentaire.

Jenna devint aussi raide qu'un tronc d'arbre et glissa à terre.

— Lisa...

Une fille attifée d'une robe que Rose aurait qualifiée de « sac à patate » se détacha du groupe.

— Lisa. Tu es... vivante.

Lisa tourna sur elle-même comme une toupie avant de tomber dans les vapes.

Rose observa la scène comme on regarde un film d'horreur : les mains plaquées sur la bouche.

— Promets-moi que tu ne te mettras dans cet état pour *personne*, Anis Bliss, dit-elle en pinçant les joues rebondies de sa petite sœur.

Oliver continua à distribuer les compliments les plus nuls que Rose ait jamais entendus. Mais la ruse fonctionnait à tous les coups. Il ne restait plus qu'une dizaine d'adolescentes.

— Ne t'arrête pas !

— Je connais même pas leurs noms ! protesta Oliver.

— Bon, alors essaie de leur chanter quelque chose, dit-elle en échangeant un sourire complice avec Origan.

— Ah ça, non !

— Oliver, on n'a pas le temps.

— Mais je ne connais aucune chanson.

— Chante n'importe quoi.

Oliver replaça le mégaphone contre la fente de la boîte aux lettres.

— *Vive le vent, j'ai pas le temps...*, commença Oliver timidement.

Les dernières filles s'élancèrent contre la vitrine et s'écroulèrent une à une.

— *... de me brosser les dents.*

Oliver abandonna le mégaphone et se mit à danser dans la pâtisserie, fredonnant et sautillant. Devant la boutique, le trottoir était jonché de filles inertes. Retrouvant soudain sa dignité, Oliver se racla la gorge et défroissa sa chemise.

— Bien joué, Oliver, lui lança Rose en étouffant un fou rire.

— Une bonne journée de travail, plaisanta Oliver. Il jeta un regard pétillant à Origan qui imitait sa danse dans un coin.

Mme Carlson fit irruption dans la pâtisserie, l'air encore sous le choc.

— Madame Carlson, vous n'avez qu'à rester ici et monter la garde avec Nini. Oliver, Origan et moi, on va faire des gâteaux à ces filles pour qu'elles s'en aillent, suggéra Rose.

— Vous croyez vraiment que ces crrréatures adolescentes déchaînées peuvent être amadouées par un bon vieux gâteau ! beugla-t-elle.

— C'est un gâteau spécial, répliqua Rose.

Nini proclama de nouveau :

— Ma famille a un livre de recettes magiques !

Mme Carlson attrapa la petite fille et la posa sur ses genoux.

— Faites vite, alorrrs. Avant que ces chipies ne se réveillent !

Rose, Oliver et Origan se rassemblèrent autour de la table à découper afin de consulter la copie de la recette du Gâteau retourné-inversé-renversé. Rose jeta un coup d'œil à l'horloge.

— Lily et Chip sont encore au restaurant. Avec ces menus français à rallonges, ils en ont encore pour deux heures.

Oliver remonta ses manches avec un sourire en coin.

— Chez Pierre Guillaume ? Deux heures,... s'ils sont *rapides*. Cet endroit a le plus mauvais service de toute l'histoire de la restauration.

La liste des ingrédients était plutôt banale : du lait, de la farine, des œufs, du sucre, du beurre, de la levure, du sel, des fraises. Un seul sortait de l'ordinaire.

Les larmes d'un sorcier maléfique*†

Rose avait pris soin de recopier la note qui l'accompagnait. Elle avait retenu la leçon : les astérisques étaient importants.

* L'œil d'un sorcier maléfique ne produit pas de larmes de tristesse, car un sorcier maléfique ne ressent rien. Lorsqu'il pleure, c'est un chavirement total, une véritable catastrophe. C'est de ce renversement des sentiments qu'on a besoin pour cette recette.
† Ce gâteau fera immédiatement effet, mais atteindra sa puissance maximale après douze heures.

Rose se tourna vers Oliver.

— Tu n'as qu'à aller chercher l'œil de sorcier.

Oliver secoua vivement la tête.

— Vas-y toi-même ! J'ai assez donné pour aujourd'hui. Non mais t'as vu comment Cléa Molett a léché la vitre ? Ça va me hanter toute ma vie !

— Bon, très bien, j'y vais. En attendant, Origan et toi, vous devriez fermer les stores. Il ne manquerait plus que quelqu'un nous espionne.

Rose fut soulagée de constater que tous les bocaux étaient là où ils les avaient laissés : le Premier Vent d'Automne tournoyait derrière le verre bleu, le Nain du Sommeil Perpétuel ronflait toujours, et l'œil de Sorcier… flottait encore dans son jus jaunâtre. Lorsqu'elle tendit la main vers le bocal, elle s'aperçut soudain que la cave était traversée par un étrange courant d'air.

Le vent semblait entrer et sortir par intermittence. Elle crut d'abord qu'elle était le jouet de son imagination. Puis elle remarqua qu'un peu de vapeur grise léchait le sol. Y avait-il une bouche d'aération dont elle ignorait l'existence ?

Sur la pointe des pieds Rose fit le tour de l'étagère. Le verre bleu des bocaux lui donnait la sensation de marcher sous l'eau. Elle chercha l'origine du souffle. Il n'y avait aucune grille d'aération au mur. Seulement des rangées et des rangées de bocaux. Quoi que cela puisse être, cette chose provenait de sous la maison.

Elle s'agenouilla lentement et commença à ramper.

Dans un coin de la cave, elle trouva une petite grille rouillée qui ressemblait à celle dont s'échappait le chauffage de la maison. Seulement celle-ci n'était pas chaude, mais glacée. Un peu de vapeur s'en échappait.

Rose se pencha pour y coller son oreille. Elle entendit alors un lourd bruit de respiration, comme si l'air entrait dans de larges poumons avant de ressortir. Il y avait quelque chose – quelqu'un ? – sous la maison. De quoi avoir la chair de poule.

Rose se redressait quand la clef en forme de fouet s'échappa de son col et se colla contre la grille.

Le bruit de respiration cessa. Et une voix si caverneuse que Rose en ressentit les vibrations jusque dans ses os demanda :

— *Qui est là ?*

Rose retint son souffle.

— *Je t'entends*, dit la voix. *Je peux te sentir.*

Rose ferma les yeux et tenta de respirer sans bruit tout en se dirigeant vers l'escalier.

Une fille plus jolie qu'elle, ou moins modeste, ne se serait jamais retrouvée dans une situation pareille : à quatre pattes dans une cave magique alors qu'un *truc* terrifiant venait de se réveiller et s'apprêtait à faire on ne savait quoi.

— *Et je te connais*, continua la voix. *Aide-moi, et je t'aiderai à réaliser tous tes désirs. Veux-tu être riche et célèbre ? Est-ce la beauté qui te fait envie ? Alors trouve l'ingrédient suivant : la Teinture de Vénus. Ajoutée à la bonne recette, elle fera de toi une femme plus belle qu'Hélène de Troie, plus belle que ta tante Lily ! Essaie d'en ajouter une pincée à ton thé.*

Rose avait atteint le pied de l'escalier, elle ne pouvait plus voir la grille de métal. Quelle que soit la chose qui habitait en dessous de la cave, non seulement elle était au courant pour tante Lily mais encore elle connaissait les désirs les plus secrets de Rose.

Elle se releva en silence et prit le bocal contenant l'œil de Sorcier.

Derrière, elle entraperçut un autre pot, presque vide, à l'exception d'un petit poudrier en forme de coquillage aux bords rougeoyants. Les mots TEINTURE DE VÉNUS étaient inscrits en lettres d'or sur l'étiquette.

Que n'aurait-elle pas donné pour être aussi jolie que tante Lily, pour avoir tout le monde à ses pieds ? Ces jeunes filles, tout à l'heure, avaient perdu la tête pour Oliver parce qu'il était beau. Et si elle devenait resplendissante de beauté ? Les garçons de l'école lui courraient-ils après ? Sûrement.

Rose s'imagina dans le couloir du collège. Toutes les têtes se retourneraient sur son passage. Tout le monde voudrait parler avec elle, être son ami. Personne ne songerait plus à lui donner des surnoms ridicules comme « Croustipate ».

Elle se figura les autres élèves, et même les professeurs, en train de boire ses paroles. Ses frères seraient peut-être plus sympa avec elle. Ses parents lui permettraient de se servir du *Livre de recettes des Bliss*. Ils lui enseigneraient enfin l'art de la magie. À moins qu'une fois belle comme le jour, elle n'ait plus besoin de la magie. Elle quitterait la pâtisserie Bliss, elle quitterait Calamity Falls pour aller conquérir le monde…

— Rose ! Dépêche-toi ! hurla Oliver dans le haut de l'escalier.

Ses frères. Ils avaient besoin d'elle.

Rose jeta un dernier regard à la Teinture de Vénus, puis s'adressant à la vapeur qui tournoyait toujours par terre comme si c'était l'air lui-même qui lui avait parlé, elle déclara :

— Non, merci. Pas maintenant.

Rose trouva Oliver et Origan ajoutant les dernières mesures de farine et plusieurs cuillerées de levure dans le récipient en métal du mixer géant.

— En voilà pour quarante-quatre gâteaux, annonça Origan. Il faut qu'il y en ait assez pour tous les habitants de la ville. Comme ils sont environ deux mille deux cents, si on coupe cinquante parts super fines dans chaque gâteau, quarante-quatre, ça devrait suffire…

Rose posa le bocal entouré de fil barbelé sur le comptoir. L'œil s'agita dans son jus jaunâtre. L'iris était couleur de lavande et une traînée bleue dépassait à l'arrière. Rose savait que c'était le nerf optique qui reliait l'œil au cerveau. Un spectacle à la fois magnifique et hideux.

Origan eut un mouvement de recul en apercevant l'œil en conserve.

— Berk ! Qu'est-ce que c'est que ce truc ?

Il souleva le bocal. Dans la pénombre de la cuisine, l'œil roula sur lui-même puis dévisagea Origan.

— Où est-ce que t'as trouvé ça ?

De peur que son frère ne lâche le bocal, Rose le lui reprit des mains. Elle brûlait de parler à Oliver de la voix qu'elle avait entendue dans la cave, mais elle ne voulait pas qu'Origan en apprenne plus qu'il n'en savait déjà.

— Papa et maman gardent des trucs… exotiques, ironisa Oliver. On te montrera tout à l'heure.

— Et maintenant, dit Rose, comment est-ce qu'on fait pleurer cet œil ?

Oliver croisa un bras sur sa poitrine et se caressa le menton de l'autre main.

— Hum. Je pense qu'on devrait commencer par le sortir de son bocal et le tenir au-dessus de la pâte. Il faut être prêt à récolter les larmes.

— Bonne idée, opina Rose tendant le récipient à Oliver.

— Ah, non ! J'y touche pas ! s'exclama-t-il, dégoûté.

— Tiens, Origan, toi qui veux participer, fit Rose, et elle poussa le bocal vers son petit frère.

Origan recula d'un bond en se couvrant le visage de ses mains.

— Bon, d'accord, j'ai compris, soupira Rose.

Elle défit le fil de fer barbelé et dévissa le couvercle.

Lorsqu'elle ouvrit le bocal, une odeur indescriptible leur sauta à la figure. On aurait dit l'eau d'un vase de marguerites pourries. Ou du vinaigre qu'on aurait utilisé pour donner un bain à une grenouille malade. Ou un yaourt datant du Moyen Âge. Ou encore la transpiration d'un corps en décomposition, si les morts pouvaient transpirer.

— Qui a *pété*? cria Origan.

Rose se boucha le nez d'une main et saisit le nerf optique de l'autre. L'œil se débattit comme un poisson rouge. Rose, non sans mal, réussit à enrouler le nerf autour de son doigt et à extraire l'organe de son bocal.

Oliver et Origan avaient l'air sur le point de vomir.

— Comment on va bien pouvoir le faire pleurer? grogna Oliver.

— J'en sais rien, marmonna Rose. Qu'est-ce qu'on dit en général à quelqu'un pour le faire chialer ?

Origan se pencha au-dessus de l'œil.

— Ton chien est mort ! asséna-t-il.

L'œil se retourna vers Origan comme pour dire : « Perdu ! »

— T'es la chose la plus moche que j'aie jamais vue, tenta Oliver.

La paupière se referma comme dans un sourire.

— Mec, là, tu lui fais un compliment ! commenta Origan.

Rose fronça les sourcils. Comment faire pleurer quelqu'un, ou plutôt un morceau de quelqu'un, dénué de sentiments ?

Une idée lui traversa l'esprit.

— Oliver! Prends ça! cria-t-elle en fourrant l'œil dans la main de son frère, qui ne s'y attendait pas.

Il hurla comme un bébé en refermant les doigts sur le globe gluant.

Rose se précipita vers un placard et en sortit un couteau et un oignon, le plus gros oignon jaune qu'elle pût trouver. Elle le coupa en deux puis le hacha en petits cubes.

L'odeur piquante de l'oignon pénétra dans son nez. Bientôt ses yeux se mirent à piquer si fort qu'elle pouvait à peine respirer. Tout naturellement, elle se mit à pleurer. Elle pleura à cause de la voix dans la cave: tout ce qu'elle avait dit était vrai. Elle rêvait d'être belle, célèbre, admirée. Belle surtout...

En reniflant, elle glissa la planche à découper sous l'œil de sorcier, qu'Oliver tenait au-dessus de la pâte.

Les garçons avaient tous les deux caché leur visage dans leur manche. Rose vit l'œil cligner de colère avant de laisser échapper une grosse larme noire et luisante, puis une autre, et encore une autre, jusqu'à ce qu'une morve noire se mette à dégouliner des deux côtés de l'œil.

— Vous autres, chuchota Rose, regardez!

L'œil s'éclaira d'une froide lueur violette, et les larmes noires qui étaient tombées dans la pâte se mirent à siffler et à exploser. Soudain, le gigantesque récipient tourna sur son axe, faisant vibrer le métal, d'abord doucement puis de plus en plus vite, comme ces attractions de fête foraine qui donnaient toujours affreusement mal au cœur à Rose.

Ils reculèrent tous les trois.

— J'ai un mauvais pressentiment, souffla Origan.

— Tais-toi, lui ordonna Oliver qui tenait l'œil à bout de bras.

La pâte explosa et se mit à bouillir, toutefois sans déborder. La cuve continua de tourner. Peu à peu, la pâte s'éleva dans les airs jusqu'à former une boule flottante difforme qui monta au plafond. La mixture prit alors l'apparence d'un visage humain avec de grands sourcils froncés et des yeux creux qui fixaient Rose. Une bouche se forma et se mit à articuler silencieusement des mots.

— Laisse-moi tranquille ! hurla Rose.

L'œil s'éteignit, ses paupières se fermèrent avec un petit claquement. Le visage se fondit dans la masse de la pâte, qui retomba lourdement dans le mixer.

C'était terminé.

Oliver reposa l'œil du sorcier dans son bocal. Rose referma fermement le couvercle et partit ranger le récipient dans la cave secrète. Alors qu'elle le replaçait sur l'étagère, elle aurait juré l'entendre grogner (à moins que ce soit quelque chose d'autre).

Origan, Rose et Oliver remplirent tous les moules à gâteau de la cuisine avec la pâte gluante, qui avait pris une teinte gris-rose, et les glissèrent dans les fours (les quatre fours traditionnels plus le four en nid d'abeilles), à la température maximale. Il faisait aussi chaud que dans la salle des machines d'un paquebot à vapeur.

Quarante minutes plus tard, le petit minuteur rouge qu'utilisait Céleste émit un « ding » enthousiaste. Les trois aînés des Bliss se remirent au travail. Oliver et Origan retirèrent les gâteaux des fours pour les laisser refroidir. Rose commença à découper de fines parts qu'elle disposait sur des assiettes en papier, avec une fourchette en plastique.

Aucun d'eux ne pipa mot jusqu'à ce que ce soit terminé. La cuisine croulait sous les morceaux de dessert magique.

Entre-temps, la plupart des filles s'étaient réveillées. Ils les entendaient frapper à la vitrine sans relâche.

Ayant disposé deux douzaines d'assiettes sur un plateau, avec l'aide d'Origan, Rose déposa le tout près de la porte.

— Dépêchez-vous ! Les bêtes rrreviennent à la charge ! dit Mme Carlson qui jouait avec Nini.

— Silence ! hurla Rose en direction de la porte.

Tante Lily et Chip seraient là d'une minute à l'autre. Il fallait agir vite.

Oliver cria à travers le mégaphone :

— Taisez-vous !

Au son de sa voix, les adolescentes se turent et écoutèrent avec un fol espoir.

— Je vous aime tellement, dit-il, que je vous ai fait un gâteau ! annonça-t-il en brandissant une part devant la vitrine.

Il y eut un grand soupir collectif.

— Si vous en voulez, vous devez faire la queue à la porte. Une par une !

— C'est comme si la liberté des femmes n'était plus qu'un rrrêve ! marmonna Mme Carlson.

Les filles se battirent pour se mettre en ligne, se griffant les unes les autres pour les premières places. Les mains tremblantes, Rose déverrouilla la porte. Elle se voyait déjà écrasée par un troupeau de demoiselles hystériques.

— Si vous finissez votre assiette, expliqua Oliver comme s'il s'adressait à un groupe de maternelles, alors je... je vous serrerai dans mes bras et je signerai votre album de mon nom.

— Juste ton nom ? s'indigna une des filles.

Oliver haussa les épaules.

— Et je ferai un smiley, ajouta-t-il.

— Ouais ! Ouais ! Ouais !

Rose entrouvrit la porte de quelques centimètres – juste assez pour laisser passer une assiette en carton. Alors qu'elle leur tendait à chacune sa ration, ces folles n'avaient d'yeux que pour Oliver.

Cléa Molett fut la première à goûter au gâteau. Ses jolies boucles blondes n'étaient désormais plus qu'une tignasse hirsute pleine de boue. Rose lui tendit une fourchette, mais elle attrapa sa part de ses mains manucurées et l'engloutit d'une seule bouchée.

Cléa commença par écarquiller les yeux, puis elle pivota sur elle-même et s'éloigna d'un pas assuré. Le même manège se reproduisit avec chaque fille.

— C'était quoi, comme gâteau ? demanda Mme Carlson. On dirait qu'elles n'ont pas aimé. Moi, j'avalerais pas ce trrruc grrris.

Rose soupira. Mme Carlson avait raison. Même si elles l'avaient dévoré, elles ne semblaient pas l'avoir apprécié.

— Tu crois que c'est normal ? chuchota Oliver en croisant ses bras musclés sur sa poitrine.

Rose n'en était pas certaine. C'était étrange, en effet. Les filles s'étaient éloignées comme des robots. Mais n'était-ce pas là ce qu'ils voulaient ? Qu'elles s'en aillent ?

En outre, la recette ne ferait complètement effet que dans douze heures, pas avant le lendemain matin.

Nini, assise sur le sol crasseux de la pâtisserie, levait les bras dans l'attente d'un câlin, ou d'une part de gâteau.

— Ma famille a un livre de recettes magiques ! cria-t-elle. Ils le gardent dans la chambre froide ! Rose a la clef !

Rose tendit à sa sœur une part de la substance grise et Nini n'en fit qu'une bouchée.

Soudain, la petite fille se tut. Elle regarda dans le vide.

— Nini ? Ça va ? demanda Rose.

La petite hocha la tête, le regard toujours perdu au loin, puis elle sortit de la cuisine à quatre pattes et monta l'escalier.

— Mais où elle va ? demanda Origan.

Rose la suivit et regarda Nini escalader son lit, allumer sa veilleuse, puis tirer ses couvertures jusqu'au menton. Elle resta là sans bouger, silencieuse, puis ferma les yeux.

— Est-ce que ça va ? demanda à nouveau Rose. Nini ?

Mais Nini était déjà en train de ronfler. Cela ne lui ressemblait pourtant pas d'aller se coucher au milieu de la journée, sans manger.

Dans le couloir, Rose croisa Mme Carlson.

— Puisque la petite fait la sieste, annonça-t-elle, je vais l'imiter. Il y a eu trrrop d'agitation aujourd'hui, c'est mauvais pourrr ma tension. Monsieur Muscle et Miss America vont pas tarrrder à rentrrrer. Ils pourrront se charrrger du nettoyage. Vous êtes une famille bien étrrrange.

Mme Carlson s'éloigna sans rien ajouter.

Dans le jardin, Oliver et Origan étaient en train d'entasser des assiettes de gâteau dans le petit chariot rouge qu'Albert rangeait au garage. Autrefois, il arrivait à leur père de les entasser dans ce chariot pour aller faire les courses.

— Nini a l'air bizarre, déclara Rose. Elle est allée se coucher.

— Au moins, comme ça elle ne sera pas dans nos pattes, commenta Oliver.

— Mais tu ne trouves pas ça curieux, toi ?

Rose avait une boule dans l'estomac. Le gâteau avait transformé les filles en robots et Nini, après en avoir mangé, s'était immédiatement endormie. Était-ce bon signe ? Cette recette ne ressemblait pas au reste du livre, et en plus elle nécessitait les larmes noires et huileuses d'un sorcier. Rose aurait voulu appeler ses parents à l'aide. Mais, bien sûr, c'était impossible.

— On n'a pas fait tout ça pour rien, dit Oliver. Je vais personnellement m'assurer que chaque habitant de cette ville goûte à ce stupide gâteau !

Il croisa les bras sur sa poitrine.

— Rose, voyons, il faut qu'on guérisse tout le monde avant le retour de papa et maman !

Oliver sortit un plan de Calamity Falls de sa poche et s'éloigna en tirant le chariot d'une main.

— Ça devrait prendre… heu… dix-sept heures, grommela-t-il.

Une fois Oliver dans la rue, Rose et Origan retroussèrent leurs manches.

Maintenant, il fallait ranger.

L'épisode des filles avait achevé de semer le chaos dans la pâtisserie. Quarante-quatre plats sales s'empilaient dans l'évier ; des morceaux de pâte gris-rose avaient séché non seulement sur les parois du mixer mais aussi sur les murs et sur les portes des placards. Rose n'avait aucune idée de ce qu'étaient ces flaques claires sur le sol – de l'eau, du blanc d'œuf, de la sueur ou du liquide d'œil de Sorcier Malfaisant ?

Et c'était compter sans les déchets devant la maison : des dizaines d'assiettes et de fourchettes en plastique éparpillées sur le trottoir. La horde de filles avait piétiné les parterres de fleurs du jardin et jusqu'aux buissons. Il y avait un trou béant dans le trampoline.

Lorsqu'ils eurent fini de ranger le jardin et qu'ils retournèrent dans la cuisine, Chip et tante Lily – alias Monsieur Muscle et Miss America – étaient de retour de chez Pierre Guillaume.

— Je croyais que vous deviez tout nettoyer ! fulmina Chip en tressaillant de tous ses muscles.

Excédé, il alla chercher les produits d'entretien.

— Vraiment, Rose, à quoi tu pensais ? demanda tante Lily en papillonnant des cils, d'une beauté à couper le souffle, belle à faire peur…

Avant que Rose ait eut le temps de trouver un mensonge plausible, Origan balbutia :

— Tout ça, c'est à cause du livre de recettes !

12
Mentir à tante Lily

— Un livre de receeeeeeeettes ! répéta Lily en allongeant le mot à l'infini.

— Oui, heu... *Les Recettes de Papy Brossard* ! répondit Rose avec la sensation que l'air qu'elle respirait était aussi épais que du sirop d'érable. Tu vois, notre gâteau était tellement délicieux qu'ils se sont battus pour en avoir.

Lily ôta son béret, secoua ses cheveux courts et s'agenouilla. Lily s'agenouillait toujours quand elle avait quelque chose d'important à dire, afin que ses yeux soient à la même hauteur que ceux de Rose.

— Et vous avez fait *quoi* comme gâteau ? demanda Lily en plissant les paupières comme pour dire « C'est vrai, ce mensonge ? »

— Un gâteau à la fraise, l'informa Rose du tac au tac.

— Dis-lui ce qu'on a vraiment fait ! hurla alors Origan.

Rose ne fit ni une ni deux : elle poussa Origan dans la chambre froide puis s'appuya contre la porte. Il la supplia de le laisser sortir, mais comme ses cris étaient étouffés, il aurait tout aussi bien pu être en train de demander une Wii pour Noël.

— Origan vous a aidés ? s'étonna tante Lily, de plus en plus soupçonneuse.

Rose opina vigoureusement. Derrière elle, la porte de la chambre froide tremblait sous les coups de son frère.

— Rose, la gronda Lily, tu me caches quelque chose, c'est évident. On n'enferme pas pour rien son frère dans une chambre froide ! Allons, ce n'est sûrement pas si grave que ça ! Moi aussi j'ai été jeune. Une fois, j'ai mis de la super-glu sous les chaussures de mon père. On ne pouvait plus les détacher du sol !

À cet instant, Rose fut propulsée à quatre pattes par terre. Origan jaillit de la chambre froide, triomphant.

— Je suis un champion ! crâna-t-il. Je suis super fort !

— Je n'en doute pas une seconde, plaisanta tante Lily.

— Rose vous ment ! accusa-t-il en nouant ses bras autour du cou de Lily. On a fait un gâteau en utilisant le *vrai* livre de recettes !

— Quel livre ? s'enquit Lily.

— On a un livre de recettes magiques dans la famille, déclara Origan. Nos parents nous ont dit de ne pas y toucher, mais on a convaincu Rose de désobéir.

Rose se releva et épousseta ses genoux. Elle était sur le point de courir vers le téléphone dans l'intention d'appeler sa mère et de lui dire : « Maman, on s'est servis du livre de recettes et on a presque détruit toute la ville, et maintenant Origan est en train de tout déballer à notre fausse tante super belle… » Mais sa langue était collée à son palais comme une chaussette mouillée.

Troublée, Rose tenta de se rappeler comment on comptait en latin.

— *Unus. Duo. Tres*, murmura-t-elle. *Quattuor. Cinque, Quinque ?*

C ou *Qu* ? Ne confondait-elle pas latin et italien ? Toujours est-il que la langue de Rose retrouva peu à peu sa mobilité.

« Je veux parler à maman de tante Lily », pensa Rose, puis elle essaya de le dire tout haut.

Mais sa langue était de nouveau paralysée : une force mystérieuse s'opposait à ce qu'elle parle de tante Lily à sa mère. En attendant, Origan était toujours dans les bras de Lily, à cracher le morceau par petits bouts, comme un sac de lentilles troué.

— Je vois, dit tante Lily. Et où se trouve ce livre de recettes magiques ?

— Derrière la tapisserie, au fond de la chambre froide, dit le traître Origan.

— Comme c'est intéreeeeeeeeessant ! roucoula Lily.

Le visage rayonnant d'amour, elle se pencha vers Rose et lui tendit sa belle main aux ongles parfaits.

— Rose, je sais que tu as menti pour protéger tes parents. Mais si ce livre de recettes t'a causé des ennuis, alors il faut que tu te confies à un adulte. Quelqu'un de ta famille, une personne qui porte une marque de louche sur l'épaule.

Rose prit son courage à deux mains. Si elle avait réussi à gérer une horde d'adolescentes en furie, elle était capable de faire face à tante Lily.

— On a tout arrangé, dit-elle.

— Comment ?

— Avec du gâteau.

— Très bien, mon ange, dit Lily, mais son sourire s'évanouit quand elle ajouta : Je crois maintenant qu'il faut que tu me donnes la clef de la réserve. Au cas où un autre enfant serait tenté d'y pénétrer. Si je comprends bien, ce livre peut être dangereux.

À l'idée de remettre la clef à tante Lily, Rose sentit toutes les fibres de son corps résister.

— Je ne peux pas, dit-elle. Papa et maman me l'ont confiée.

— Rose, voyons, dit Lily en découvrant ses ravissantes dents blanches dans un sourire enjôleur. Ne leur avais-tu pas aussi promis de ne pas t'en servir ?

Tante Lily avait mis en plein dans le mille. Tout bien réfléchi, Rose n'était peut-être pas une future magicienne-pâtissière ni même quelqu'un à qui on pouvait faire confiance. Une grosse larme roula jusqu'au coin de sa bouche.

Origan leva le doigt bien haut en s'exclamant :

— C'est moi qui vais garder la clef !

— Quoi ? protesta Rose. Tu es le moins responsable de nous tous !

— Personne ne me laisse jamais rien faire ! couina-t-il.

— Rose, dit tante Lily, je pense que tu devrais lui céder. Il a besoin qu'on le prenne au sérieux.

Rose se tourna vers Origan. Elle aimait beaucoup son petit diable de frère qui savait si bien faire le clown, et elle se rappelait à quel point elle-même était frustrée quand ses parents ne lui donnaient pas de responsabilités à la pâtisserie, à quel point leur manque de confiance en elle la rendait insignifiante à ses propres yeux. Tante Lily avait raison : son petit frère méritait d'avoir sa chance.

Rose posa une main sur l'épaule d'Origan qui sautait sur place d'impatience.

— D'accord, dit-elle. C'est à toi de garder la clef.

Origan s'arrêta net, l'air de ne pas trop y croire.

— Mais quand tu seras grand, promets-moi que tu seras acteur.

— Tu veux que je devienne un *acteur*? répéta-t-il, éberlué.

— Ou que tu fasses carrière dans la politique. Un métier où il faut savoir s'exprimer. Alors je te confie la responsabilité de la clef pendant quelques jours. Mais tu ne dois laisser personne d'autre la toucher. Tu m'entends, PERSONNE.

Elle désigna d'un signe de tête Lily, qui attendait debout devant les portes battantes de la cuisine, ses mains fines posées sur ses joues au teint de pêche.

Rose souleva ses cheveux pour enlever le cordon de son cou et le passa par-dessus la tignasse rousse d'Origan, comme si elle le faisait chevalier.

Origan la serra si fort dans ses bras que Rose dut le repousser pour pouvoir respirer. Elle lui fit un large sourire.

Rose passa le reste de l'après-midi à récurer des moules à gâteau pendant que Lily et Chip nettoyaient la pâtisserie. Origan et une Mme Carlson à moitié endormie allèrent ramasser les assiettes et les fourchettes qui jonchaient le trottoir.

Oliver rentra à dix heures du soir. Sa chemise était trempée de sueur, son visage couvert de poussière et ses mains pleines d'ampoules à force de tirer le chariot.

Rose lui versa un verre d'eau.

— Alors, c'est fait ? demanda-t-elle.

Les yeux fermés, il but l'eau d'un trait en faisant signe que oui.

— *Tout le monde* a eu sa part ? insista-t-elle.

— Tous ces gens… tellement de gens…, marmonna-t-il.

— Origan a tout raconté à tante Lily, il lui a parlé du livre de recettes. Elle voulait la clef de la bibliothèque, mais je l'ai donnée à Origan.

Alors qu'Oliver se dirigeait en titubant vers l'escalier, Rose le suivit.

— Tu m'écoutes, Oliver ?

Dans la chambre qu'il partageait avec Origan, ils virent une grande silhouette penchée au chevet de leur frère.

C'était tante Lily. Origan était endormi et elle lui caressait les cheveux.

— Mais qu'est-ce que tu fais là ? chuchota Rose.

— Tu m'as fait peur ! s'exclama tante Lily en sursautant. Je… je disais juste bonne nuit à Origan.

Se faufilant avec grâce entre Rose et Oliver, elle sortit de la chambre d'un pas léger.

Rose poussa un soupir de soulagement en voyant la petite clef argentée sur le torse d'Origan, toute luisante dans la clarté lunaire : la clef était toujours là où elle devait être.

Oliver plongea dans son lit. Rose s'apprêta à partir, mais son frère la retint par la main.

— Hé, Rosita, dit-il. On s'est quand même bien amusés aujourd'hui.

Rose ne put s'empêcher de sourire.

— Enfin, si on oublie que j'ai été obligé de chanter et de traîner un chariot de gâteaux dans toute la ville sous un soleil de plomb, ajouta-t-il en bâillant. Mais quand même, on a fait du bon travail.

Rose aurait voulu lui dire : « Merci, ça me touche beaucoup. Des fois, j'ai l'impression que tu t'en fiches, de moi, parce que t'es trop occupé à être un beau gosse super populaire et que je suis juste ta petite sœur couverte de farine qui t'embête tout le temps, mais je t'aime plus que je ne saurais le dire, alors je suis contente que tu penses que je suis douée pour quelque chose. »

Mais comme il ronflait déjà, elle se contenta d'un :

— Bonne nuit, fais de beaux rêves, Oliver.

Elle ferma la chambre des garçons et se dirigea vers la salle de bains afin de débarbouiller son visage noir de crasse.

Quand le téléphone sans fil sonna, Rose répondit en fermant la porte derrière elle. C'était bien ce qu'elle craignait : sa mère !

— J'espère que je n'appelle pas trop tard, mon cœur, mais on vient seulement de rentrer à l'hôtel ! Je voulais savoir comment vont mes enfants chéris ! Tout s'est-il bien passé aujourd'hui ?

— Oui ! affirma Rose avec une conviction qui l'étonna elle-même.

Tout s'était bien terminé, n'est-ce pas ? Certes, la ville avait été mise sens dessus dessous, mais, avec l'aide de ses frères, elle avait tout arrangé. Rose savait qu'un jour elle raconterait l'histoire à sa mère autour d'une tasse de thé et que celle-ci lui pincerait le menton en disant : « Ma bonne petite pâtissière ! »

— C'est peut-être un peu tôt pour juger, ajouta-t-elle malicieusement, mais je crois qu'Oliver, Origan et moi, on forme une sacrée équipe.

Céleste éclata de rire.

— C'est merveilleux, ma chérie. Qu'est-ce qui s'est passé ?

— On a fait de la pâtisserie ensemble.

— C'est ce qui rend la pâtisserie magique, Rose.

Rose sourit en ajoutant intérieurement : « Ça et tous les trucs qui se trouvent dans la cave secrète. »

— Bonne nuit, mon ange.

— Bonne nuit, maman.

Dehors, la nuit était tombée et la première étoile brillait au firmament, peut-être un peu plus brillante et plus rose qu'une étoile. « C'est peut-être une planète, pensa Rose. C'est peut-être Mars. »

Mars était la planète préférée de Rose. Elle tirait son nom du dieu de la guerre dans la mythologie romaine. Et en cet instant, Rose se sentait aussi forte qu'une guerrière.

13

Lorsque Rose se réveilla le lendemain, elle avait trop chaud et cela la démangeait de partout.

La veille, elle avait assisté à des phénomènes étranges comme certaines personnes n'en voient jamais de leur vie. « Pourvu qu'aujourd'hui soit une journée ordinaire », se dit-elle.

Il lui fallait s'assurer que la pâtisserie restait ouverte et que le livre de recettes magiques, en revanche, restait fermé. Ainsi, à leur retour, leurs parents trouveraient la pâtisserie Bliss impeccablement propre. Elle laverait aussi les cheveux de Nini.

Rose enfila son tee-shirt préféré, celui à rayures roses et orange, et s'aspergea le visage d'eau fraîche. Sa peau était pleine de boutons rouges enflammés. Cela arrivait souvent l'été, quand Rose s'épuisait à la cuisine et transpirait à grosses gouttes.

Quelqu'un frappa à la porte de la salle de bains.

— Une minute ! dit-elle.

Elle se pencha vers le miroir pour observer ses boutons de plus près. La potion magique de tante Lily ne serait pas du luxe.

Comme si elle avait lu dans ses pensées, une voix dit :

— C'est ta tante Lily ! Je peux entrer ?

Sans attendre sa réponse, Lily entra dans la pièce et posa un sac de toilette noir sur le tabouret.

— Il est temps de nous mettre au travail !

— Je sais, dit Rose, qui ne put s'empêcher d'admirer la tenue de sa tante.

Elle portait un chemisier violet à manches courtes et un jean moulant noir qui lui donnaient une allure décontractée mais chic. Rose baissa les yeux sur son tee-shirt en se disant que les rayures n'étaient peut-être pas une bonne idée, après tout.

— Il est temps de descendre à la cuisine.

— Je ne parlais pas de ça, dit Lily en ouvrant son sac.

Rose vit qu'il était plein de produits de beauté. Céleste ne permettait jamais à sa fille de se maquiller. Elle disait que cela rendait les filles « aussi peu appétissantes qu'un beignet de chez Stetson ». Mais Rose s'était toujours demandé si un petit peu de blush – une touche de glamour – n'était pas justement ce qui lui manquait.

— Rester jolie, ce n'est pas toujours facile, déclara tante Lily. Je ne me maquillais pas avant. Mais un jour, quelqu'un m'a dit que ma bouche ressemblait à celle d'un lapin. Depuis, je ne sors jamais sans rouge à lèvres.

Rose, hypnotisée, regarda sa tante passer du crayon rouge autour de ses lèvres.

— Même du gloss transparent, ça peut faire l'affaire. Un peu d'éclat, quoi.

Tante Lily, qui était déjà belle, devint éblouissante. Rose ne put s'empêcher de repenser à la voix dans la cave, qui avait sous-entendu qu'elle ne serait jamais belle et était condamnée à rester insignifiante.

Tante Lily était peut-être un personnage assez louche, mais c'était aussi la première personne dans la vie de Rose qui comprenait ce que c'était que d'être une femme belle *et* intelligente. Elle avait sûrement quelque chose à lui enseigner dans ce domaine.

— Tante Lily ?

— Oui, ma chérie ?

— Est-ce que tu penses que… peut-être… que tu pourrais me… m'aider ?

Tante Lily s'arrêta entre deux applications de mascara.

— Tu veux que je t'aide à être jolie ?

Rose hocha la tête.

— Oh, j'ai cru que tu ne me le demanderais jamais, ronronna tante Lily.

Rose entra dans la cuisine d'un pas dansant avec la sensation d'être belle comme le jour.

Chip était en train de recouvrir un gâteau aux sept saveurs d'une couche onctueuse de noix de coco.

— Bonjour, Chip ! s'écria joyeusement Rose.

— Tu sais, Rose, j'ai dû passer cinq heures à nettoyer, grogna Chip. J'ai même été obligé de ramasser un dentier de bibliothécaire. Ça ne fait pas partie de mes fonctions.

— Je suis désolée, Chip. Je ne sais pas ce qui leur a pris, à toutes ces dames.

Chip l'observa :

— Tu as l'air… différente, Rosie.

Rose jeta un regard à tante Lily qui lui fit un sourire magnifique.

— Je pense qu'elle est toujours la même, dit tante Lily de sa voix musicale, en un peu plus… chatoyante.

L'idée d'être « un peu plus chatoyante » plut beaucoup à Rose.

— Je vais ouvrir la pâtisserie, annonça-t-elle. Il y a probablement déjà la queue dehors.

Rose passa les portes battantes d'un pas léger, un sourire amical aux lèvres, prête à accueillir chaleureusement la foule habituelle.

Mais il n'y avait pas l'ombre d'un client.

Même pas le moindre habitué. Ni M. Phibien, ni Mlle Chardon, ni Mme Bonnevoix. Pas de professeurs, pas de bibliothécaires, pas d'élèves en vacances. Pas un chat.

— De quoi a-t-on besoin, Rose ? Plus de muffins ? s'enquit tante Lily en pénétrant dans la boutique. Oh, mais… ! Il n'y a encore personne.

Chip, les mains pleines de copeaux de noix de coco, entra en marmonnant :

— Tiens, c'est bizarre. Le jeudi, on est généralement débordés.

— Oui ! C'est étrange ! approuva tante Lily. On dirait qu'il y a quelque chose qui cloche.

Rose haussa les épaules.

— Ils vont arriver. C'est sûr, ils ne vont pas tarder.

Rose rassembla quelques muffins sur un plateau, repositionna les gâteaux aux sept saveurs sous leurs cloches en verre puis balaya le carrelage en damier noir et blanc, passant sous les chaises en fer forgé dont les dossiers ressemblaient à des entrelacs de fleurs. Elle alla jusqu'à secouer le vieux paillasson.

Puis elle se planta derrière le comptoir et attendit.

Trois heures s'écoulèrent. Toujours pas le moindre client. Seule Mme Carlson avait pointé le bout de son nez pour annoncer que Nini était « un mollusque paresseux » qui ne voulait pas se réveiller et que par sa faute elle allait rater une journée de bronzage. Remarquant soudain le nouveau look scintillant de Rose, elle avait poussé un cri d'indignation puis était remonté aussi sec dans la chambre de Nini.

Pas une âme n'était passée devant la pâtisserie, pas même une voiture. Rose, qui commençait à s'embêter ferme, avait téléphoné à sa copine Alexandra. Aucune réponse. À croire que le monde s'était arrêté.

Chip abandonna ses fourneaux et s'attela à une grille de Sudoku sur la table de la cuisine. Tante Lily astiqua la vitrine. Rose se livra à quelques calculs dans sa tête: Oliver avait distribué les dernières parts de gâteau vers dix heures la veille au soir. Il était midi maintenant. La recette disait que la formule ne faisait complètement effet qu'après douze heures. Alors pourquoi personne n'était-il venu ? Avaient-ils eu leur dose de sucre avec le gâteau, pour ne pas vouloir de muffins ? Mais qui aurait pu se refuser un muffin pour le petit déjeuner ?

Un peu plus tard, Oliver et Origan descendirent l'escalier, en chemise bleue, leurs cheveux roux hérissés de gel. Origan ressemblait à une version miniature d'Oliver, en plus joufflu et plus farceur.

— Oh, vous êtes magnifiques, tous les deux! s'écria tante Lily.

Dès qu'ils aperçurent Rose, ils s'exclamèrent d'une seule voix:

— Qu'est-ce qui t'es arrivé?

— Les grands esprits se rencontrent! s'écria Origan.

— C'est quoi, cette vieille expression? dit Rose.

— Tu as l'air... différente, commenta Oliver en tournant en rond autour de sa sœur, les bras croisés sur la poitrine. Qu'est-ce qui a changé?

Rose ne put s'empêcher de sourire.

— Devine.

— Je sais! dit Origan. Tu ne portes pas de sous-vêtements!

— Raté. Essaie encore, dit Rose en secouant la tête.

— Un nouveau tee-shirt? suggéra Oliver, avant de faire la grimace. Non, c'est pas ça, t'as toujours eu ce vieux truc moche à rayures.

— *Non!*

Ses frères étaient-ils aveugles pour ne pas voir ce qui avait changé?

— Je suis maquillée!

— Ah, c'est tout? dit Oliver d'un air déçu. C'est pour ça que la pâtisserie est vide? Parce que tu t'es maquillée?

— Non. Qu'est-ce que le maquillage a à voir avec la pâtisserie?

Il ramassa un muffin pour le renifler.

— Je sais pas. C'est juste bizarre qu'il n'y ait aucun client.

— Je suis bien d'accord. *Personne* n'est venu nous voir

ce matin, opina Rose en tentant de contenir sa mauvaise humeur devant tante Lily. Pas un seul client. C'est vraiment étrange. Je commence à penser que notre affaire a *mal tourné.*

— Peut-être qu'ils ont bloqué la rue pour tourner un film ! suggéra Origan, toujours optimiste.

Sauf que, dehors, rien ne bougeait sauf la haie de leurs voisins, qui s'agitait sous la légère brise d'été. Oliver se tourna vers Rose.

— Tu as raison. C'est bizarre. Allons voir sur la grande place. D'accord ? Rien que pour nous rassurer...

— Tante Lily, dit Rose du ton calme et professionnel qu'utilisait sa CPE quand elle l'aidait à organiser son emploi du temps, ça ne te dérange pas de surveiller la caisse pendant qu'on va faire un tour sur la place ?

— Mais pas du tout. Allez-y, pas de problème !

Oliver, Rose et Origan longèrent l'école silencieuse, le parking vide de l'église, la caserne de pompiers et le jardin public déserts. Les voitures étaient toujours garées devant les maisons. Les magasins affichaient tous des pancartes FERMÉ.

La place de briques rouge était brûlante et désolée comme un désert. L'air vibrait au-dessus de la statue de Reginald Calamity et du toit de Pierre Guillaume. On ne voyait personne jeter des pièces dans la fontaine, ni attendre son coq au vin, ni même déguster une bonne glace au café.

Rose se retourna en entendant un bruit de l'autre côté de la place.

Mais ce n'était qu'un pigeon bien gras qui picorait des miettes.

— Je comprends pas, dit Origan. Tout devrait être revenu à la normale.

Oliver se gratta la nuque d'une main, le menton de l'autre, signe qu'il faisait marcher ses méninges à cent à l'heure.

— Peut-être qu'ils font juste la grasse mat', conclut-il. Peut-être qu'ils sortiront de leurs lits pour le goûter ?

Mais à sept heures du soir, la situation était inchangée. Nini était encore en train de ronfler. Elle dormait depuis plus de vingt-quatre heures. Mme Carlson avait téléphoné au médecin, mais personne n'avait décroché. Vers cinq heures, Chip avait décidé de rentrer chez lui.

Le ciel commençait à s'assombrir quand tante Lily prit Rose à part.

— Soit tout le monde en ville a pris un somnifère, soit ils sont sous le charme d'une sorcière maléfique.

Une sorcière maléfique ? La gorge de Rose se serra d'angoisse, puis, avec un frisson d'horreur, elle se rendit compte que cette sorcière, c'était sans doute elle, Rosemary Bliss.

— Et ce gâteau que vous avez distribué à toute la ville hier ? Celui qui, disiez-vous, allait *tout arranger* ? demanda Lily d'une voix sourde.

Tout ce que Rose avait voulu faire, c'était prouver à ses parents qu'elle était digne de confiance, qu'elle était assez grande pour garder le secret du livre de recettes magiques et qu'elle était une pâtissière accomplie. Au lieu de quoi, elle avait provoqué une si grande catastrophe qu'elle avait la sensation de patauger dans un marécage hanté.

Tante Lily savait-elle lire dans les pensées ? Toujours est-il qu'elle déclara :

— Rose, je sais ce que tu ressens. Avant, j'étais une fille quelconque, et puis j'ai appris la pâtisserie. Toi et moi, on cuisine parce qu'on aime ça, et aussi parce qu'on a envie qu'on nous remarque, on veut être extraordinaires. Et, parfois, on va trop loin. Tu vois ce que je veux dire ?

Tante Lily avait trouvé les mots justes. Rose se décida soudain : autant passer aux aveux.

— Tout a commencé quand on a donné des Muffins de l'amour à M. Phibien et à Mlle Chardon, et puis après on a fait des Cookies de la vérité pour Mme Bonnevoix, mais Chip les a distribués à tout le monde par erreur. Ensuite les bibliothécaires se sont battues dans la boutique, et Oliver a donné des Muffins de l'amour et des Cookies de la vérité aux filles de sa classe parce que lui non plus il n'est pas très sûr de lui. Les filles sont devenues folles comme si elles étaient à un concert de Justin Bieber. Après ça, on a fait un Gâteau retourné-inversé-renversé qu'on a fait manger à tout le monde, mais maintenant je pense que le plan a mal tourné parce que la ville semble… s'être arrêtée…

Tante Lily prit les joues de Rose en coupe entre ses mains.

— Rose, tu es incroyable. Tu es la jeune personne la plus intelligente et la plus talentueuse que j'aie jamais vue. Tu as d'immenses qualités, le sais-tu ?

Rose eut alors l'impression que de l'or coulait dans ses veines. Elle aurait voulu mettre son bonheur en bouteille, pour pouvoir en boire une gorgée chaque matin avant de se lever.

— Mais…, ajouta tante Lily.

Rose sortit immédiatement de sa rêverie.

— … quand on est aussi doué que toi, on doit aussi savoir admettre quand on a besoin d'aide. Et si quelque chose a mal tourné, alors il est possible que je puisse t'aider. J'ai un peu d'expérience en la matière.

Lily voulait-elle dire qu'elle en connaissait un rayon question pâtisserie, ou bien qu'elle avait déjà géré un désastre magique ?

À cet instant, Mme Carlson se mit à hurler du haut de l'escalier :

— À l'aide ! C'est Nini !

Rose et tante Lily se précipitèrent à l'étage. Elles trouvèrent Mme Carlson aux prises avec la petite Anis Bliss qui riait aux éclats en se tortillant comme un ver et en agitant ses bras potelés. Origan les rejoignit dans la seconde.

— Où est Oliver ? lui lança Rose, affolée.

— Il sort la poubelle. Qu'est-ce qu'elle a, Nini ?

— Cette enfant est possédée ! Appelez un prrrêtre ! hurla Mme Carlson qui maintenait à grand-peine la petite au sol.

— Elle est juste joyeuse, fit observer Rose.

— Satan a prrris possession de son âme !

— N'importe quoi, dit tante Lily de sa voix flûtée en écartant Mme Carlson.

Une fois libérée, Nini, à quatre pattes, se déplaça à reculons sur le tapis comme un agneau qui refuse d'entrer dans son enclos.

Et quand elle ouvrit la bouche, ce fut plus étrange encore.

— Ej illeppa'm Sin a! grogna-t-elle. Ej illeppa'm!

Origan pointa Nini du doigt.

— Oh! C'est vrai qu'elle a l'air possédée!

Soudain, un hurlement leur parvint du jardin. Rose, Origan et Lily se précipitèrent à la fenêtre de la salle de bains. C'était Oliver.

Debout près de la benne à ordures, il ressemblait moins à Oliver qu'à une statue d'Oliver tant il était pétrifié.

Huit hommes en tenue grise, transportant chacun un sac-poubelle noir bien rempli, l'encerclaient. D'abord, Rose crut qu'ils s'éloignaient puis elle remarqua qu'en réalité ils convergeaient vers Oliver en marchant à reculons.

Le cercle des hommes en gris se rétrécit autour d'Oliver qui, brusquement, sortit de son immobilité et plongea derrière la benne en criant au secours.

Les hommes l'ignorèrent.

Ils lâchèrent leurs sacs-poubelle autour de la benne, puis, toujours en reculant et en trébuchant çà et là sur les buissons, ils prirent la direction de la rue. En plissant les paupières, Rose lut ce qu'il y avait d'écrit sur leurs uniformes : PROPRETÉ DE CALAMITY FALLS.

Les huit hommes s'entassèrent tant bien que mal dans la cabine du camion poubelle, et, en marche arrière, passèrent à la maison suivante.

— Alors *ça*, ce n'est pas normal! s'exclama tante Lily avec des trémolos dans sa belle voix.

Ils sortirent rejoindre Oliver.

— Qu'est-ce qu'il s'est passé ? demanda Rose en délogeant d'une pichenette une pelure de fruit sur la manche de son frère.

Il frappa un des sacs noirs du pied.

— Les éboueurs viennent de nous livrer des poubelles.

— Ce sont les nôtres ? demanda Origan en faisant une grimace de clown. Ça ne sent pas la *rose*...

— Mais pourquoi marchaient-ils à reculons ? s'étonna Rose.

— S'il n'y avait que ça ! dit Oliver. Regarde !

Rose se tourna. La rue revenait enfin à la vie. Les lampes s'allumaient dans les maisons et quelques personnes en peignoir traversaient leur jardin à reculons pour déposer leurs journaux bien pliés sur l'herbe. Quelques portes de garage s'ouvrirent et les voitures s'engagèrent dans la rue en marche arrière. M. Roller se mit à enduire sa Corvette de boue. Peter Strickland, le livreur de journaux, arriva à l'envers sur son vélo pour ramasser les journaux sur les pelouses. Mme Burns traîna son chien sur le trottoir, munie d'un petit sac en plastique bleu.

— Je préfère ne pas savoir ce qu'elle va faire à cette pauvre bête, soupira Oliver.

De l'autre côté de la rue, Rose vit Mme Calhoun déposer un baiser sur la tête de Kenny et lui tendre son déjeuner. Kenny partit en courant et à reculons, avec son sac à dos, en direction de l'école primaire.

— Mais qu'est-ce qu'ils ont tous ? s'exclama-t-elle. Il fait nuit ! Ils devraient être en train de se préparer à aller se coucher.

Tante Lily dégagea une mèche de cheveux du visage de Rose.

— On dirait que le Gâteau retourné-inversé-renversé produit exactement l'effet promis.

— Ouais, dit Oliver. Finalement, ce gâteau n'était pas une si bonne idée.

— Alors, c'est la faute du gâteau ? demanda Origan.

— C'est *notre* faute, corrigea Rose, qui avait mal au cœur tout à coup.

Oliver et elle, en voulant tout arranger, n'avaient fait qu'aggraver la situation.

Leur voisine, Mme Daublin, s'avança à leur rencontre à reculons, vêtue d'un caftan et d'un turban. Elle regarda Rose avec une expression amicale dont elle n'était pas coutumière, elle qui se montrait toujours si revêche.

— Tulas, Esor ! lança-t-elle en levant un pied et en l'agitant.

Elle perdit l'équilibre, tomba et se tordit de rire.

Rose aperçut Mme Bonnevoix qui s'éloignait à toute allure en marche arrière dans sa belle Cadillac blanche. Elle lui courut après. La voiture s'arrêta net au feu vert et, quand elle aperçut Rose, Mme Bonnevoix entrouvrit sa portière et agita le pied dehors.

— ESOR ! cria-t-elle. Ej sius enu enamohtym !

Puis elle accéléra au rouge et disparut au coin de la rue.

— Esor ? dit Rose. Mais qu'est-ce que ça veut dire ?

Origan sortit une craie de sa poche et écrivit ESOR sur le trottoir.

— Esor. Esor.

Puis il leva un doigt en l'air et s'écria :

— ESOR, c'est ROSE à l'envers ! Ils parlent tous à l'envers !

— Ils parlent à l'envers, saluent avec leur pied et font tout le contraire de ce qu'ils font d'habitude, dit Rose.

Tante Lily regarda autour d'elle, inquiète.

— Mon Dieu. Vous avez vraiment un gros problème sur les bras.

— On aurait dû choisir la recette qui coud les bouches, observa Oliver.

Ils firent le trajet jusqu'à la grande place dans un silence total. En longeant la pelouse de l'école, ils virent des élèves aux cheveux gominés qui grondaient leurs professeurs en tailleur ou en costume cravate en train de jouer à chat et de construire des châteaux de sable au clair de lune. À la caserne des pompiers, le capitaine Conklin et ses hommes tentaient sans succès de grimper à leur poteau de descente. Des ouvriers dévissaient la structure d'une maison, un jardinier répandait de l'herbe coupée sur une pelouse, un enfant en bas âge tirait sa mère dans une poussette. Dans le jardin public, les retraités avaient à première vue l'air de pratiquer leur tai-chi comme d'habitude, sauf qu'ils essayaient de tenir sur la tête.

Sur la place, Rose, sa tante et ses frères passèrent devant la fontaine de Reginald Calamity, où les passants entraient dans l'eau pour *prendre* des pièces. Les bibliothécaires, Mme Hackett et Mme Crisp, faisaient le tour de la place en arrachant les livres des mains des lecteurs. Chez Pierre Guillaume, M. Guillaume était attablé, l'air affamé, tandis que les clients lui apportaient des plats de la cuisine, à reculons. La plupart d'entre eux se cassaient la figure et envoyaient valser gratins, filets de sole et crèmes brûlées à travers la pièce.

— C'est moi qui me trompe, dit tante Lily, ou est-ce que cette femme vient juste de servir un plat de filet mignon *à* M. Guillaume ?

Rose hocha lentement la tête.

— Oui, oui.

— Ça ne peut plus durer, décréta tante Lily. J'ai une idée. Peut-être que si on leur donne à tous du lait, ça les encouragera à retourner se coucher. Origan, où puis-je me procurer une grande quantité de lait ?

Alors qu'Origan s'éloignait avec tante Lily, Rose se rapprocha d'Oliver.

— Il faut appeler papa et maman à la rescousse, annonça-elle.

— Pas question, protesta Oliver. Ils vont nous gronder !

— Ce sera pire si papa et maman, à leur retour, prennent une contravention pour conduire *dans le bon sens*, dit Rose.

— Pourquoi on ne demanderait pas de l'aide à tante Lily ? Je te rappelle qu'elle a la même louche que nous sur l'épaule...

Rose observa de loin la silhouette élancée de tante Lily, aussi élégante qu'un cygne, la marque de la famille Bliss brillant comme un bijou sur son omoplate. Au moins tante Lily ne fonctionnait pas à l'envers. En plus, elle croyait en Rose, l'avait complimentée pour son talent, encouragée, bien plus que sa mère ne l'avait jamais fait. N'empêche, à la perspective de voir le livre entre les mains de Lily, Rose fut prise d'une angoisse indescriptible.

— C'est juste que...

Elle laissa sa phrase en suspens en voyant Origan revenir au pas de course. Rose remarqua que la clef d'argent ne brillait plus autour du cou de son petit frère.

— Origan ! Où est la clef?

Origan se couvrit le visage de ses mains roses potelées.

— Me frappe pas ! hurla-t-il, même s'il n'avait jamais été frappé de sa vie (sauf une fois par le bord du trampoline après un saut maladroit). Je l'ai donnée à tante Lily !

— Mais poooooouuuuurquoi ?

— Parce qu'elle me l'a demandée ! Parce qu'on a besoin de son aide ! Parce qu'elle sait ce qu'elle fait ! Elle voulait trouver un moyen de résoudre le problème par la magie. Je te parie qu'elle est déjà en train de potasser le livre.

14

Une nouvelle pâtissière aux fourneaux

Lorsque Rose, Oliver et Origan débarquèrent dans la cuisine, ils y trouvèrent Lily penchée sur le *Livre de recettes des Bliss*, qu'elle avait posé sur la table à découper roulante. Avec sa robe blanche à petit col rond et manches courtes boutonnée par devant, elle ressemblait à une technicienne de laboratoire, ou à une infirmière de la Seconde Guerre mondiale.

Le premier réflexe de Rose fut de lui arracher le livre, mais tante Lily avait posé les deux coudes dessus. En plus, elle avait la clef pendue autour du cou. Que pouvait faire Rose ?

Puis elle vit une petite lumière rouge clignoter sur le répondeur.

— Quelqu'un a appelé ? demanda-t-elle.

— Oui, répondit tante Lily sans relever la tête. Ton père. J'ai dit à Mme Carlson de laisser sonner. Je n'avais pas envie de lui expliquer ce qui se passait ici. Il a dit qu'ils rentraient après-demain, et que si vous aviez mis le feu à la maison, vous aviez intérêt à tout réparer avant leur retour. C'est lui qui l'a dit, pas moi.

Rose se frotta le front vigoureusement des deux mains, comme sa mère quand elle était vraiment inquiète.

— C'est fini. Je vais mourir. J'ai tout fait de travers, et maintenant, je suis morte.

— Roooose, s'écria tante Lily en articulant comme si elle parlait à une sourde qui lisait sur les lèvres. On forme une famille. Et on va tout arranger, en famille. Souviens-toi, quand on est aussi talentueuse que toi, on doit aussi savoir admettre quand on a besoin d'aide.

Vaincue, Rose se sentit devenir aussi molle qu'une poupée de chiffon. Elle avait échoué sur tous les plans, s'était révélée incapable non seulement d'aider la ville mais aussi de protéger sa petite sœur et le bien le plus précieux de sa famille : le *Livre de recettes des Bliss*. Ce livre avait plus de valeur que la maison elle-même. Il était comme un cinquième enfant. Et voilà qu'il était entre les mains d'une personne en qui Rose n'avait pas entièrement confiance, une personne qu'elle trouvait même très louche.

Malgré tout, le spectacle de Lily penchée sur le livre, avec son air savant, avait quelque chose de rassurant. Au moins, maintenant, Rose n'était plus seule à assumer toutes les responsabilités.

— Montrez-moi la recette qui a rendu tout le monde fou, lui dit tante Lily.

Oliver et Origan se frottèrent les mains comme s'ils s'apprêtaient à accomplir une tâche de la plus haute importance et se placèrent autour de la table à découper. Oliver se rendit à la dernière page, où reposait dans sa cachette la section intitulée L'Apocryphe d'Albatross.

Lily sortit le livret et passa ses doigts dessus. Il était

recouvert d'une poudre grise, mais ce n'était ni de la poussière ni des cendres. C'était autre chose. Une sorte de pourriture. Contrariée, tante Lily s'essuya les mains sur sa robe blanche.

— J'avais entendu parler de cette partie du livre, murmura-t-elle, mais je pensais que c'était une légende.

Rose releva la tête et regarda tante Lily d'un air soupçonneux.

— Je croyais que tu ne connaissais même pas son existence, dit-elle.

— Je... j'ai entendu dire que mon arrière-arrière-arrière-grand-père Albatross avait écrit ses propres recettes. Ce doit être celles-là.

— Les recettes d'Albatross chlinguent, commenta Origan en agitant la main devant son nez.

Lily explosa de rire.

— Votre arrière-arrière-arrière-grand-oncle avait le chic pour semer la pagaille. Je parie que toutes ses recettes déchaînent les forces du mal. Si on veut sauver la ville, il faut chercher ailleurs dans le livre.

Lily replaça le livret en décomposition dans sa cachette. Puis elle revint au début du livre et tourna une à une les épaisses pages couleur crème en lisant les notes dans la marge. Cookies chauds comme l'été, Mousse pour enfants obéissants, Gâteau aux carottes pour faire démarrer les entreprises... plus elle lisait, plus elle était émerveillée. Tante Lily semblait rajeunir à vue d'œil. Sa peau laiteuse prenait une couleur plus rose et ses yeux brillaient comme un lac au coucher du soleil. Seul son sourire figé reflétait plus la cupidité que la joie aux yeux de Rose.

— Vous savez, c'est incroyable ce que ce livre est capable d'accomplir, murmura tante Lily. Vos parents n'ont jamais pensé à le publier ? C'est un peu égoïste de garder ces recettes dans une chambre secrète où seuls les membres de la famille qui tient la pâtisserie Bliss peuvent en profiter. Vous ne trouvez pas ?

— En fait, ils le gardent enfermé pour qu'il ne tombe pas entre les mains de quelqu'un qui abuserait de son pouvoir, lui fit remarquer Rose tout en sachant que Lily ne l'écoutait pas.

Lily s'arrêta à une page ornée de deux dessins dans la marge : une ville plongée dans le chaos – tout comme l'était Calamity Falls en ce moment même – et une ville où tout le monde paraissait paisible et heureux.

Tarte aux mûres du retour à la normale
Pour la restitution des conditions premières

En l'an de grâce 1717, Sir Albatross Bliss fit manger à toute la ville de Tyree, en Écosse, une tranche de Gâteau renversé, et la population au complet se mit à marcher et à parler de la plus étrange des manières. Son but était de mettre sens dessus dessous la cérémonie de mariage de son frère Filbert. Filbert Bliss quitta l'église pour se précipiter dans la cuisine, où il concocta cette Tarte aux mûres, qui annula les effets de la formule d'Albatross. Tous se présentèrent à la cérémonie de mariage sans le moindre souvenir de leur folie antérieure.

Tante Lily baissa la tête, honteuse pour son arrière-arrière-arrière-grand-père.

— Cette recette devrait faire l'affaire, n'est-ce pas?

Elle lut la liste des ingrédients à voix haute :

Filbert mélangea quatre poignées de chocolat, une poignée de beurre, une poignée de sucre, une poignée de farine et quatre œufs de poule au-dessus d'un chaudron à problèmes. Puis il tira le Nain du Sommeil Perpétuel de son sommeil perpétuel et l'invita à murmurer le secret du temps dans la pâte. Il la mit à cuire pendant onze chansons, à la chaleur de cinq flammes. Il versa sur la tarte une sauce aux mûres et au sucre.

Oliver tapota l'épaule de Lily.

— T'inquiète, *tía* Lily, dit-il en riant. On sait tout sur les poignées, les flammes, les chansons et tout.

— Un *chaudron à problèmes*? Qu'est-ce que c'est? s'interrogea Origan.

Tante Lily se dressa sur la pointe des orteils comme une ballerine.

— C'est là qu'avoir une tante magicienne-pâtissière peut être utile! Je sais exactement ce que c'est qu'un chaudron à problèmes, et je sais comment l'utiliser. N'ayez crainte, mes petits, cette Tarte du retour à la normale sera prête en un rien de temps!

Lily tendit une main. Oliver et Origan posèrent leur main sur celle de leur tante Lily comme une équipe de foot avant un match.

— Rose ? dit tante Lily en levant un sourcil et en désignant le cercle de la tête.

Mais Rose n'était pas certaine de vouloir poser sa main sur celle de tante Lily. Elle avait besoin d'aide, certes, et tante Lily avait l'air de s'y connaître, mais elle avait vu une drôle de lueur briller dans les yeux de Lily devant le *Livre des Bliss*. Cette dernière était prête à tout pour s'approprier ces recettes. Rose la comprenait : elle avait déjà éprouvé ce sentiment.

Oliver et Origan, quant à eux, n'avaient conscience de rien.

— Allez, Rose, dit Oliver en entourant les épaules de sa sœur de son bras libre pour la rapprocher d'eux. On a besoin de toi.

Rose lança un regard à Origan : lui aussi attendait qu'elle pose sa main. Elle ne voulait pas les laisser tomber. Pas maintenant, à l'heure où ils avaient besoin d'elle. Elle avait déjà trahi ses parents. Il n'était pas question qu'elle abandonne ses frères.

— On n'y arrivera pas sans toi, Rose. On a besoin de tes compétences, dit tante Lily.

La douceur du compliment acheva de la convaincre. Pour la première fois de sa vie, Rose se sentait jolie. Et elle avait l'impression d'être importante. D'avoir du pouvoir.

Faisant taire ses réticences, Rose posa sa main sur le dessus de la pile.

Ils élevèrent puis baissèrent les mains. Tante Lily déclara :

— Un pour tous ! Et tous aux fourneaux !

Lily décida qu'Origan et Oliver irait au marché de Poplar chercher une centaine de douzaines d'œufs, cinquante livres de chocolat, et toutes les mûres qu'ils pourraient trouver.

— Il en faut assez pour tout le monde ! expliqua-t-elle.

— Et comment on va faire pour payer tout ça ? s'enquit Oliver.

Tante Lily réfléchit avant de répondre :

— Dites qu'on est des concurrents. Comme ils font tous l'opposé de ce qu'ils font d'habitude, on vous donnera de la nourriture gratuitement ! Auriez-vous une tenue qui ressemble à ce que porterait un épicier ?

Oliver s'écria :

— J'ai travaillé trois jours dans un supermarché. J'ai gardé l'uniforme !

Il se précipita dans sa chambre et revint avec un tablier vert.

— En avant la victoire ! s'écria tante Lily.

Oliver saisit la poignée du petit chariot rouge.

— Il va falloir faire pas mal d'allers-retours, marmonna-t-il.

Origan et lui s'éloignèrent dans la rue, laissant Rose et Lily seules dans la cuisine.

Tante Lily, rayonnante de beauté, était d'un calme magnifique face à cette situation dangereuse. Rose se sentait plus que jamais proche de sa tante. Peut-être avait-elle besoin d'un modèle comme tante Lily en permanence, qui l'aiderait à devenir fabuleuse, à inspirer le respect.

À l'étage, on entendit la voix de Mme Carlson qui essayait désespérément de calmer Nini.

— Enfant du diable! Arrête de japper! Va te coucher!

Rose et tante Lily échangèrent un regard inquiet.

— Il n'y a pas de temps à perdre, dit Lily. Construisons vite un chaudron à problèmes. J'ai vu quelqu'un en utiliser une fois, lors d'une réunion de famille. C'était un chaudron géant posé dans un chaudron encore plus géant rempli d'eau bouillante.

— Géant comment?

— Géant.

Rose sortit dans le jardin. Elle regarda les déchets qui traînaient près de la cabane à outils. La vieille carcasse en métal d'un bateau à rames. Le trampoline fraîchement cassé. Une grande antenne parabolique qui avait grillé lors d'un orage et qu'Albert n'avait pas eu le cœur de jeter.

Soudain, elle sut exactement quoi faire.

— J'ai trouvé! hurla-t-elle.

Rose et Lily se mirent à construire le plus grand chaudron à problèmes qui ait jamais existé. Elles détachèrent le filet du trampoline et firent brûler un grand feu sous le cercle en métal en utilisant des bûches et du papier journal. Elles nettoyèrent le vieux bateau avant de le disposer au-dessus des flammes, et remplirent sa carcasse d'eau. Puis elles décrassèrent la parabole cassée et la posèrent sur l'eau du bateau.

Tante Lily tapota le dos de Rose:

— Bien joué, ma nièce.

Sous ces éloges, toutes les pensées négatives de Rose, toute sa méfiance s'évaporèrent.

Les garçons arrivèrent avec le dernier chargement d'œufs, de chocolat et de mûres. Origan fut chargé de faire fondre le chocolat dans la parabole et de casser des centaines d'œufs. Tante Lily contrôlait les flammes. Origan et Oliver remuèrent la mixture à tour de rôle à l'aide d'une des rames du vieux bateau. Rose se contenta d'observer les étincelles dans la nuit chaude. Les chaudrons à problèmes, c'était une chose, mais de voir ses frères cuisiner et rire ensemble un jeudi soir de juillet ? Ça, c'était magique !

Une fois tous les ingrédients intégrés, Rose fourra les coquilles d'œufs dans un grand sac-poubelle. Il était temps de passer aux choses sérieuses.

— Allons chercher le nain, déclara-t-elle.

Rose fit tourner la poignée en forme de rouleau à pâtisserie. Le plancher s'ouvrit et une odeur nauséabonde se répandit dans la chambre froide.

— Le nain est en bas, précisa Rose en prenant sa tante par la main.

Une fois dans la cave, Lily fit passer le faisceau de sa torche sur les bocaux remplis de terre, de vent, de feu, de papillons remuant leurs ailes, de champignons bavards.

Rose sentit la vapeur qui se dégageait de la grille du fond lui envelopper les chevilles.

Lily aussi avait dû la sentir car elle se dirigea vers la grille et s'agenouilla devant. Rose n'entendit rien. Cela dit, la chose en dessous de la maison, quand elle s'était adressée à elle, n'avait pas *réellement* fait de bruit.

Tante Lily se releva quelques instants plus tard et regarda Rose d'un air sévère.

— Est-ce que ça va ? demanda Rose.

— Oui. Il fait juste un peu froid ici.

Lily porta à nouveau son attention sur les bocaux alignés contre le mur. Chacun d'entre eux s'éclaira un peu sur son passage. Elle s'approcha d'un bocal contenant une libellule géante. L'étiquette disait : VOL. La libellule se recroquevilla dans un coin en voyant Lily.

— C'est une impressionnante collection. La magie, ce n'est pas que des baguettes, des sorts et des potions, tu sais. C'est parfois (et pour moi c'est la meilleure magie) un peu plus subtil. Comme ça.

Rose s'enivrait des paroles de Lily. Sa tante avait parfaitement exprimé ce qu'elle ressentait. Ses parents ne parlaient jamais de magie. Ils en faisaient, c'est tout. Mais peut-être que tante Lily avait raison. C'était égoïste de leur part de garder le *Livre de recettes des Bliss* dans le placard de la petite pâtisserie d'une petite ville. Que pouvaient-ils faire de bon ici ? Peut-être y avait-il de la magie à apporter au-delà des frontières de Calamity Falls. De la magie subtile, bonne, qui pourrait contribuer à rendre le monde meilleur.

Et Rose pourrait peut-être être porteuse de cette magie.

Tante Lily arrêta le faisceau de sa lampe sur le bocal du Nain du Sommeil Perpétuel, qui était en train de ronfler.

— Regarde-le, dit-elle. Il est splendide !

Rose n'aurait pas été jusqu'à affirmer qu'il était splendide, mais il était assurément intéressant. De sous son chapeau vert pointu s'échappaient des cheveux blancs aussi légers et duveteux que des aigrettes de pissenlit. Lily tendit la torche à Rose, prit le bocal dans ses mains et le serra contre sa poitrine comme un nouveau-né. Elle remonta l'escalier sur la pointe des pieds en murmurant :

— Ne t'inquiète pas, mon petit. Nous ne te ferons pas de mal ! Mon petit nain ! Mon adorable ami !

Lily posa le bocal sur le comptoir et fixa le nain du regard.

— As-tu déjà vu pareille merveille ?

Rose vit le visage fripé du nain à travers le verre bleu. Il portait un petit manteau en feutrine marron et un long caleçon foncé. Il était de la taille d'une petite poupée. Ses yeux étaient complètement fermés, bordés par ces nombreuses petites rides que l'on appelle des pattes d'oie.

Rose tint le bocal tandis que tante Lily le saisissait par les aisselles et le tirait délicatement de son lit. L'air rance du pot envahit la cuisine. Lily assit le nain sur le comptoir. Il continua de ronfler et, dans son sommeil, se pencha un peu trop vers la droite. BAM, il se cogna à la table à découper.

Le choc le réveilla instantanément.

Il secoua la tête et se redressa avec une moue grognonne. Il étira ses petits bras et bâilla, révélant une langue mouchetée et de vieilles gencives sans dents.

Son haleine fétide était presque impossible à décrire. Elle sentait un mélange de poubelle, de poisson pourri et de caca.

Les enfants Bliss, pris d'une subite nausée, reculèrent. Rose ferma les yeux et se boucha le nez aussi fort qu'elle le put jusqu'à ce que l'odeur ait disparu.

Lorsqu'elle rouvrit les yeux, le nain la regardait fixement. Les bras croisés sur sa poitrine, il tapait du pied.

— Je suppose que tu m'as réveillé pour me demander de chuchoter un *secret* dans une *pâte*.

— Oui…, admit Rose.

Il pigeait drôlement vite, ce nain.

— Lequel ? gronda-t-il.

— Le secret du temps, souffla tante Lily.

Le nain se gratta le menton.

— Le secret du temps… Le secret du temps…

Puis il releva la tête et annonça d'un ton tragique :

— J'ai oublié le secret du temps !

Rose sentit son cœur se serrer. Après tous ces efforts, leur rêve de Tarte aux mûres menaçait de s'effondrer par la faute de la mémoire défectueuse d'un vieux nain !

Le nain se mit à ricaner.

— Ha ha ! Je vous ai eus ! Je plaisantais ! Bien sûr que je connais le secret du temps. Qu'est-ce que vous croyez ?

— Oh, merci, Nain du Sommeil Perpétuel ! s'écria Rose.

Elle aurait bien voulu lui faire un câlin, mais il sentait vraiment trop mauvais.

— J'ai un nom, tu sais, dit-il avec colère. Malpoli !

— Je suis désolée, je ne voulais pas…

— Non. C'est mon nom, Malpoli. Malpoli Dingherwurst.

Malpoli remarqua alors que tante Lily le couvait des yeux.

— Je chuchoterai le secret du temps seulement si c'est *elle*, dit-il en la montrant du doigt, qui me tient au-dessus de la pâte.

Tante Lily fit la révérence.

— Tout ce que vous voudrez, monsieur Dingherwurst.

— Si tu me lâches, tu devras m'épouser, dit-il. Je suis sérieux.

Lily explosa de rire.

— Pourquoi pas ?

Elle prit le nain dans ses bras et le porta dans le jardin.

Rose et ses frères se réunirent autour de la parabole fumante et tante Lily tint à bout de bras M. Malpoli Dingherwurst au-dessus du chocolat fondu.

— Aïe ! dit-il en faisant la grimace. La fumée me pique les yeux. Un peu plus loin, s'il te plaît, mon cœur !

Tante Lily recula un peu.

— Prêt ? demanda-t-elle d'une voix onctueuse.

Rose voyait bien que sa tante faisait de gros efforts pour se montrer aussi gentille que possible.

— Presque, dit-il. J'aimerais un massage des pieds, d'abord. Et un verre de whisky. Ce que vous avez sous la main.

C'en était assez. Rose n'allait pas laisser le manque de politesse de M. Malpoli Dingherwurst gâcher leurs plans.

— Excusez-moi, monsieur Dingherwurst. Mais on est vraiment dans le pétrin, là. On n'a pas de temps à perdre. Si vous ne voulez pas nous aider, très bien. Parce que je préfère vivre dans une ville où tout est à l'envers que de masser vos pieds, qui, j'en suis certaine, sentent horriblement mauvais.

Rose était plutôt contente de son petit discours.

Malpoli se borna à grogner et se tourna vers la pâte. Puis il murmura quelque chose dans une langue inconnue de Rose.

Maireann croi eadrom I bhfad[1].

Après quoi, il releva la tête.

— Voilà. Maintenant, je peux retourner dormir, s'il vous plaît ?

Son murmure flotta au-dessus du chaudron à problèmes et forma un nuage rouge sang qui se répandit sur le chocolat. Il prit la forme de deux mains tenant une horloge dont les aiguilles semblaient battre la pâte à l'inverse du sens normal. Elles tournèrent encore et encore, emportant la parabole dans leur course folle.

Autour d'eux, le monde se mit à trembler et à onduler, l'air prit l'apparence du plastique fondu. Rose se rendit compte que son souffle était bloqué dans sa poitrine. L'instant sembla s'étirer indéfiniment. Elle se dit qu'elle allait étouffer. Puis, tout à coup, ce fut terminé.

— Qu'est-ce qui s'est passé ? réussit-elle à bredouiller.

Origan et Oliver se mirent à tousser.

— Me demande pas à moi, grogna Oliver.

Sur ce, tante Lily remit M. Malpoli Dingherwurst dans son bocal (il lui fit un clin d'œil juste avant que sa tête ne soit immergée dans le liquide). Puis Rose alla le reposer sur l'étagère de la cave. C'est alors qu'elle entendit la voix vaporeuse qui sortait de la grille.

— *Si la Teinture de Vénus te dégoûte, agrippe-toi à la ficelle du tablier de ta tante Lily. Elle connaît la voie incomparable du succès, de la fortune et de la beauté.*

Rose frissonna et se précipita en haut de l'escalier. Elle

1. « Un cœur léger vit longtemps », en gaélique irlandais.

avait l'impression que la chose sous la maison en savait bien plus qu'elle ne voulait le dire. Rose redescendrait peut-être plus tard pour lui demander conseil. Mais, pour l'instant, elle avait des Tartes aux mûres à cuisiner.

Tante Lily versa la mixture à l'aide d'une louche dans les moules à gâteau. Rose et Origan firent cuire les mûres avec du sucre dans une immense casserole. Lorsque les baies eurent fondu, Rose répartit la sauce sirupeuse sur chaque tarte à sa sortie du four.

— Maintenant, tout ce qu'il reste à faire, c'est s'assurer que chaque habitant de la ville en mange une part, déclara tante Lily. Mais comment allons-nous nous y prendre ?

— On n'a qu'à leur dire que c'est obligatoire, proposa Oliver.

— Non, ça ne marcherait pas, dit Lily. Il faut leur donner un ordre à l'envers, ou ils ne comprendront pas.

— On pourrait leur ordonner de les mettre dans leur derrière, suggéra Origan.

Tante Lily lui donna une petite claque sur la tête.

— Origan, sois poli.

Ce fut à nouveau Rose qui trouva la solution. Elle commençait à y prendre goût.

— Je sais ! Il nous faut le monospace, et des haut-parleurs puissants.

15

Recette numéro quatre :
Tarte aux mûres du retour à la normale

Dès que Rose eut prononcé le mot « haut-parleurs », Origan se précipita dans sa chambre. Il revint une minute plus tard avec deux haut-parleurs d'ordinateur de la taille d'un de ces dés en peluche qu'on accroche au rétroviseur d'une voiture.

— Non, trop petits, dit Rose en fixant Oliver.

Oliver poussa un grognement.

— Je vais pas porter ce truc. C'est super lourd !

Il remonta une de ses manches et contracta son biceps en disant :

— Je ne voudrais pas me fouler un muscle.

— C'est quoi l'intérêt d'avoir des muscles si tu ne peux rien porter ? rétorqua Rose. En plus, ton ampli va enfin pouvoir servir.

Oliver disparut à l'étage. Il revint en sueur, essoufflé, portant un énorme ampli que Céleste lui avait offert pour son anniversaire. N'ayant pas déballé la basse électrique qui venait avec, il ne l'avait même pas encore testé.

Rose hocha la tête en voyant la boîte presque aussi haute qu'elle.

— Ah, c'est beaucoup mieux.

— Tu veux bien nous exposer ton plan, miss Rose ? demanda tante Lily.

— Ça veut dire quoi, *exposer* ? fit Origan en se grattant la tête.

Tante Lily leva les bras au ciel.

— Ça veut dire expliquer… mettre de la lumière sur !

Sur ces paroles, Lily alluma toutes les lampes.

— Éclaire-nous, Rose, dit-elle une fois que la pièce ressembla à un gymnase prêt à accueillir un match de basket.

Rose ne put s'empêcher de rire. Tante Lily avait le pouvoir de transformer la plus glauque des soirées en une fête inoubliable.

— Voilà ce qu'on va faire, dit Rose en montant sur la table à découper roulante. On va attacher l'ampli sur le toit du monospace, et on va y brancher un micro. Puis on va se balader en ville en disant à tout le monde de ne *pas* aller sur la grande place, parce qu'il n'y a *pas* de soirée disco organisée.

Tante Lily tapa dans ses mains.

— Je vois où tu veux en venir.

— C'est moi qui parlerai, décréta Oliver. N'oubliez pas que j'ai une voix d'animateur radio.

— Bien sûr, acquiesça Rose. Et, naturellement, tout le monde va se précipiter sur la grande place. On aura garé la voiture au milieu. On diffusera de la musique et on affichera une pancarte suppliant tout le monde de ne *pas* manger nos Tartes aux mûres. Ce qui, bien sûr, les fera tous accourir.

Tante Lily passa un bras autour des épaules de Rose.

— Soirée disco ? J'adore ! Bien joué, Rosie !

Ravie, Rose redescendit de son perchoir et fit la révérence. Même Oliver et Origan devaient bien l'admettre : c'était un plan du tonnerre.

Tante Lily, crispée, conduisit le monospace dans les rues tortueuses et mal éclairées de Calamity Falls.

— C'est comme un jeu vidéo. Sauf qu'on peut mourir pour de vrai, commenta-t-elle.

Lily n'exagérait pas. Ils étaient les seuls à ne pas se déplacer à reculons.

Elle n'avait pas conduit de voiture depuis des années, avait-elle expliqué aux enfants Bliss, et elle ne se sentait pas assez en confiance pour rouler en marche arrière au milieu de la nuit dans des petites rues peu familières. Rose serra les dents en agrippant le siège devant elle. Tante Lily slalomait entre les véhicules qui allaient dans le mauvais sens et du mauvais côté de la route, ceux qui étaient garés n'importe comment, encastrés dans des arbres ou des clôtures, voire abandonnés au beau milieu de la chaussée. Oliver était tout aussi effrayé. À l'avant, il se cramponnait des deux mains à sa ceinture.

Quand M. Fanner les dépassa, il leva le poing derrière la vitre et appuya violemment sur son klaxon en hurlant :

— Souv zeluor snad el siavuam snes !

— Mais pourquoi il me crie dessus ? s'étonna Lily en

s'arrêtant pour reprendre son souffle et recoiffer ses cheveux noirs.

Origan, leur traducteur désigné, écrivit la curieuse phrase sur l'ardoise qu'il avait décrochée du frigo.

— « Vous roulez dans le mauvais sens ! » Voilà ce qu'il a dit !

Lily passa la tête par la fenêtre et hurla comme pour lancer un défi au directeur :

— Mais non, mec, c'est *toi* qui roules dans le mauvais sens !

— Fais comme si tu étais à Londres, conseilla Rose.

Origan avait composé un message pour les habitants perturbés de Calamity Falls : SAP ED EÉRIOS OCSID RUS AL EDNARG ECALP ! ZELLA'N SAP RUS AL EDNARG ECALP ! « Pas de soirée disco sur la grande place ! N'allez pas sur la grande place ! »

— Et comment je suis censé prononcer une chose pareille ? gémit Oliver en prenant le micro qu'il avait branché à l'ampli sur le toit.

— Tu n'as qu'à lire ! dit Rose, secrètement ravie qu'Oliver ait insisté pour faire l'annonce.

Oliver ouvrit la fenêtre, se racla la gorge et commença :

— *Sap édirios ocxid rusal ed narge calep !*

Il jeta un regard perplexe à Rose.

— C'est plus dur que ça en a l'air.

— Oliver ! Ne fais pas tes commentaires dans le micro !

— Oups ! *Éééélosed !* dit-il.

— Bien, dit Rose pour l'encourager.

Elle n'avait jamais vu Oliver douter de lui-même.

— Continue !

— Je suis sûr que je me trompe, marmonna-t-il. *Zéla ne sape rusa led nargé calep.*

La phrase possédait une sonorité plus naturelle, cette fois, même si aucune langue n'est belle à l'envers.

— Et maintenant, qu'est-ce que je fais ? demanda-t-il en fermant les yeux et en prenant une grande inspiration avant de les rouvrir.

— Recommence ! dit Rose. Répète-le encore et encore ! Avec passion !

— Ah, la passion ! soupira Lily au volant.

— C'est débile, bougonna Oliver. Ça ne marchera jamais.

— Tu t'en sors très bien, au contraire, murmura Rose.

Elle tapota l'épaule de son grand frère.

— Bon, d'accord, grogna Oliver. *Sapédirios oxide rusal ed narge calep !*

Ils étaient sur le point de dépasser Mme Bonnevoix, qui roulait en marche arrière à gauche de la route tandis que Lily roulait dans le sens normal, à droite.

Alors qu'Oliver venait à nouveau d'annoncer la non-soirée, Mme Bonnevoix freina brutalement sur le frein et se pencha vers la Blissmobile.

— TNEMIARV ?

Rose comprit tout de suite : « *vraiment* ? »

— Tout le monde, faites non de la tête ! cria-t-elle.

Et ils agitèrent tous la tête de gauche à droite.

Mme Bonnevoix gara alors sa voiture au milieu de la chaussée et marcha à reculons vers la grande place.

— Ça fonctionne ! s'écria Rose. On dirait que Mme Bonnevoix est fan de disco !

— Qui ne l'est pas ? riposta tante Lily en se trémoussant sur son siège. Soirée disco, nous voilà !

Oliver sourit, leva son micro et répéta son annonce. Encore une fois. Et encore. Et encore...

Ils passèrent devant la cour de l'école. Oliver proclama :

— *Sapédirios oxide rusal ed narge calep !*

Les professeurs descendirent des balançoires et des toboggans, et, abandonnant leurs châteaux de sable, partirent à reculons en direction de la grande place.

Ils s'arrêtèrent devant un chantier et Oliver sortit carrément du véhicule pour annoncer :

— *Sapédirios oxide rusal ed narge calep !*

Les ouvriers poussèrent de grands cris de joie, jetèrent leurs casques en l'air et, cessant de remplir des trous et de tout démolir, s'éloignèrent en titubant.

Les facteurs jetèrent leurs sacoches en l'air et se précipitèrent à reculons dans les rues. Les avocats, les comptables et les pharmaciens se levèrent de derrière leurs bureaux et se mirent en route pour la grande place sans même se donner la peine de fermer leurs portes.

Apparemment, tout le monde à Calamity Falls aimait le disco. Ou, plutôt, *personne* n'aimait ça. Rose avait mal à la tête à force d'essayer de comprendre ce qui se passait.

Lorsqu'ils atteignirent la colline aux moineaux, Oliver récitait sa phrase à l'envers aussi clairement que s'il avait été un DJ, et aussi rapidement qu'un vendeur de bétail aux enchères.

— *Sapédirios oxide rusal ed narge calep !* s'exclama-t-il d'une voix bien ferme, digne en effet d'un animateur radio.

Pour se mettre encore plus dans le rôle, il avait chaussé des lunettes de soleil et remonté son col.

Le cœur de Rose se mit à battre de plus en plus fort au fur et à mesure qu'ils approchaient de la boutique des Stetson.

La voiture stoppa devant le vieux magasin en haut de la colline. Il était si sombre et si silencieux qu'on aurait pu croire que personne n'y habitait depuis des années.

— *Sapédirios oxide rusal ed narge calep !* dit Oliver.

Rose attendit, le souffle haletant, avalant de grandes bouffées d'air frais. Origan descendit pour admirer la vue.

Aucun signe de Devin. Personne ne sortit du magasin.

Leur voiture n'était pas dans l'allée, mais Rose ne l'avait vue nulle part dans les rues de Calamity Falls. Et maintenant qu'elle y pensait, elle n'avait pas croisé Devin de la semaine. Elle avait été bien trop occupée pour s'en rendre compte. La famille Stetson devait être partie en vacances.

— Allons-y, dit-elle, tout à la fois déçue et soulagée. Ils ne sont pas là.

Rose sortit de la voiture pour chercher Origan.

Il n'y avait pas un seul arbre en haut de la colline aux moineaux. L'immense ciel qui se découpait au-dessus d'eux était si vaste, si sombre et si vide que Rose eut l'impression qu'il allait l'engloutir. Une sensation incroyable.

— Regarde, dit Origan en montrant du doigt le centre de la ville où se dressait la statue de Reginald Calamity.

Quelques milliers de personnes, aussi minuscules que des fourmis vues de cette distance, se promenaient sur la place. Une clameur plaintive s'éleva. Ils assistaient à une soirée disco sans musique.

— Il est temps d'aller leur donner ce pour quoi ils sont venus, cria Rose.

Elle allait tout arranger. Elle allait prouver qu'elle méritait de porter le nom de Bliss.

Tante Lily se dirigea vers la place avec la bande originale de *La Fièvre du samedi soir* à fond. Ils n'avaient pas trouvé le moyen de jouer la musique à l'envers, mais, apparemment, le disco avait la même sonorité quel que soit le sens. Mme Bonnevoix, qui portait une robe léopard enfilée à l'envers, se mit à hurler :

— Siauo ! Ocsid !

Les habitants faisaient des pas de danse maladroits en arrière, tout en pointant l'index en diagonale de haut en bas sur un mauvais rythme. M. Fanner tomba sur Mlle Karnopolis et ils se mirent à se hurler dessus. M. Phibien et Mlle Chardon s'aperçurent et se précipitèrent l'un vers l'autre (toujours à reculons), bousculant sur leur passage de nombreuses familles rassemblées sur la place. Des enfants avaient encerclé Mme Bonnevoix et hurlaient de joie tandis qu'elle se tortillait sur le sol en tentant d'imiter un ver de terre. La lune faisait office de boule à facettes géante. Tout cela était plutôt magnifique, quoique un peu déroutant.

Rose et Lily disposèrent les tables de la terrasse de Pierre Guillaume de manière à former un immense buffet. Origan et Oliver y alignèrent les Tartes aux mûres du retour à la normale. Ils les découpèrent et disposèrent les parts sur des assiettes en carton.

Rose attendait patiemment de voir arriver son premier non-client quand elle aperçut Devin Stetson qui dansait, ou plutôt dansotait, tout seul.

Tante Lily surprit son regard.

— Qui est-ce ? demanda-t-elle.

Rose était trop timide pour répondre.

— Pourquoi ne vas-tu pas danser avec lui ?

Rose secoua la tête.

— Je ne lui ai jamais parlé, avoua-t-elle.

— Eh bien, c'est le moment d'essayer parce que, quoi qu'il arrive, il ne s'en souviendra pas demain !

— Je ne crois pas que je sois son type.

— Et pourquoi ne lui plairais-tu pas ? Tu es belle, tu as du talent, tu fais plein de trucs.

Tante Lily avait raison, c'était le moment ou jamais d'aborder Devin. Elle se sentit soudain portée par une force invincible.

Devin n'essayait pas d'imiter des mouvements disco, il se bornait à faire un pas en avant, un pas en arrière... Rose se plaça en face de lui et se mit à copier ses pas. Il leva la tête, sidéré.

— Tulas ! dit-il.

— Tulas.

— Es't ehcom, lui lança-t-il.

Elle remit les mots à l'endroit dans sa tête. « T'es moche. »

En toute autre circonstance, elle serait partie en courant et aurait pleuré toutes les larmes de son corps, mais, en cette nuit si spéciale, elle traduisit par le contraire, à savoir qu'elle était jolie.

Rose aurait aimé avoir un miroir pour vérifier si le maquillage de tante Lily tenait toujours.

— Icrem, dit-elle en souriant. Iot issua.

Devin se retourna et posa l'arrière de sa tête contre sa joue : sans doute sa manière de lui donner un baiser. Il sentait le savon et les rêves.

Rose aperçut du coin de l'œil tante Lily, derrière une des tables de Pierre Guillaume, qui levait le pouce en lui adressant un énorme sourire.

Rose fermait les yeux pour savourer ce moment de tendresse, même s'il était à l'envers, quand Oliver lui tapa sur l'épaule.

— Excuse-moi, ma chère *hermana*. Je suis désolé de t'interrompre, mais personne ne mange de gâteau. On doit faire une pancarte.

Rose s'arracha au contact délicieux des fins cheveux blonds de Devin. Même s'il continuait de l'ignorer à l'école, même s'il ne connaissait pas son nom, elle se souviendrait de cet instant à jamais.

— Rioverua Nived, dit-elle avant de s'éloigner.

Rose et Oliver inclinèrent un des grands parasols blancs de Pierre Guillaume et Origan, leur expert en écriture inversée, trempa les doigts dans un pot de gelée de mûres (le seul qui restait) pour écrire :

NO A MIAF ! EN ZEGNAM SAP SON XUAETÂG !

On a faim ! Ne mangez pas nos gâteaux !

Rose et Oliver disposèrent le parasol en biais, au-dessus d'une des tables. Oliver se précipita vers le monospace et cria dans le micro :

— *En zegnam sap son xuaetâg!*

Puis il coupa la musique.

Si on avait un jour besoin d'un DJ qui parle à l'envers, Oliver était maintenant qualifié.

Mme Bonnevoix fut la première à apercevoir le parasol. Elle le pointa du doigt en criant :

— ZEDRAGER ! UD UAETÂG !

Elle se dirigea à reculons vers la table, puis se mit à quatre pattes pour ramper dessous, jusqu'à faire face au gâteau. Elle prit une part et la dévora.

— UAETÂG ! cria-t-elle en se frappant la poitrine comme un singe.

Sur ce, elle s'empara de plusieurs parts et se mit à les lancer dans la foule comme des ballons de football.

— EN ZEGNAM SAP ! hurla-t-elle.

Pendant ce temps-là, les professeurs et les bibliothécaires se jetaient sur leurs parts de gâteau, et après les avoir englouties, se barbouillaient le visage de chocolat. Ils se mirent ensuite à lécher les plats vides, tout en se baladant par-ci par-là à reculons.

M. Phibien et Mlle Chardon attrapèrent deux des parts que Mme Bonnevoix avait lancées et se les donnèrent à manger l'un à l'autre. Le reste de la foule s'agglutina autour du buffet comme des cochons dans une porcherie. Ils ne se donnaient pas la peine de prendre une assiette : ils se penchaient dessus et dévoraient le gâteau sans se servir de leurs mains.

Rose se demanda combien de temps encore cette mascarade allait durer avant que le gâteau n'agisse et que tous ces gens redeviennent humains.

Elle n'eut pas à attendre bien longtemps.

Mlle Karnopolis, la bibliothécaire, fut la première à en ressentir les effets. Elle secoua la tête et vit ses collègues qui avaient le nez dans les plats, puis elle sentit la gelée de mûres qui lui collait au visage.

Enfin, elle s'aperçut qu'on était au milieu de la nuit.

— Oh, mais ! s'exclama-t-elle. Mais qu'est-ce que je fais debout ? C'est l'heure de dormir ! Et pourquoi mon visage est-il recouvert de...

Elle passa un doigt sur son front puis lécha la substance noire.

— ... de mûre ?

Mlle Karnopolis se mit alors à courir – dans le bon sens – vers sa maison.

Mlle Chardon reprit ses esprits alors qu'elle venait de s'écrouler sur M. Phibien, qui était torse nu.

— Non ! Bertrand Phibien, arrêtez de me suivre partout !

Elle enjamba le corps grassouillet de son amoureux transi et se précipita chez elle en maudissant la lune.

Mme Bonnevoix épousseta les miettes accrochées à sa robe.

— Mais pourquoi mes vêtements sont-ils à l'envers ? s'écria-t-elle.

Un par un, les gens se réveillaient. Ils rentraient chez eux en se demandant comment ils s'étaient retrouvés couverts de chocolat, sur la grande place, au milieu de la nuit. Tout bas, ils se juraient de ne jamais parler de cet incident.

Quand les derniers quittèrent la place, honteux, le ciel se colorait de rose pâle. Le soleil matinal fit briller les assiettes et les fourchettes dont le sol était jonché.

Rose et Oliver firent le tour de la place munis d'un sac à ordures.

— Bon, cette fois, c'est sûr que ça a marché, hein ? demanda Oliver, l'air épuisé.

— Oui, c'est sûr, confirma Rose.

— Cool. Tu sais, je crois que tante Lily m'aime vraiment bien, maintenant. Je suis content d'avoir pu passer du temps avec elle. Elle est… *muy caliente.*

— Ah. Bien, fit Rose.

Mais elle ressentait le contraire. Les mots de son frère venaient de la blesser cruellement. Elle pensait qu'elle et ses frères s'étaient rapprochés. S'était-elle trompée ? « Ont-ils fait tout ça seulement pour Lily ? se demanda-t-elle. Suis-je toujours invisible ? »

Dès que Lily eut arrêté le monospace dans l'allée, Oliver détacha l'ampli et le traîna sous le porche, où, Rose le savait, il resterait sans doute pendant des mois. Rose et Origan portèrent les plats vides à la cuisine. Ils y trouvèrent Mme Carlson assise sur le comptoir à mastiquer nerveusement un chewing-gum, les yeux grands ouverts et très rouges, les mains tremblantes.

— Ah ! fit-elle en les voyant. Regarrrdez qui a décidé de se joindrrre à nous !

Rose se demanda un instant de quoi elle voulait parler. Puis elle aperçut Nini qui courait à reculons et parlait toujours à l'envers.

Comme si cela ne suffisait pas, la petite fille s'était débarbouillée et avait enfilé une robe de soirée en velours que Céleste lui avait achetée pour aller à un mariage mais qu'elle avait refusé de porter. Aucune trace de son appareil Polaroid. En faisant tout à l'envers, Nini s'était transformée en une mini-petite fille modèle.

— Toute la nuit elle a été comme ça ! J'ai entendu du disco au loin. J'y serrrais bien allée, parce que, moi, s'il y a une chose qui me rrrend un tant soit peu joyeuse, c'est le disco. Mais je ne pouvais pas quitter la maison. Pas avec cette fille de *Satan* qui ne fait que courrrir à l'enverrrs !

Rose et Origan échangèrent un regard inquiet et se précipitèrent dehors.

— Non ! Ne rrreparrrtez pas ! cria Mme Carlson en se ruant vers la porte. Je n'ai pas dorrrmi de la nuit ! Je suis en trrrain de devenirrr folle !

Rose appela tante Lily.

— Nini est toujours à l'envers ! On a besoin de gâteau !

Il n'en restait pas une miette. La foule en folie avait tout dévoré. Même les plats étaient nettoyés après le passage des langues des bibliothécaires.

Rose courut vers la parabole dans l'espoir qu'il en reste un tout petit peu. Elle cria de joie en apercevant une minuscule flaque de pâte durcie, juste assez pour une minuscule tarte.

Rose ramassa la pâte avec une cuillère et la disposa dans un ramequin blanc bien beurré.

— Tu fais un gâteau ? hurla Mme Carlson lorsque Rose mit le plat au four. Vous ne faites rien d'autrrre que de la pâtisserrrie dans cette famille ?

Rose se tourna vers Mme Carlson et la regarda droit dans ses yeux écossais.

— Je suis désolée que vous n'ayez pas dormi de la nuit mais on était en train de s'occuper de choses très importantes. Et j'ai l'étrange sentiment que tout ce dont Nini a besoin, c'est d'un peu de gâteau au chocolat. Alors, laissez-moi faire.

Mme Carlson jeta un regard noir à Rose, comme si elle avait soudain envie de lui dévorer tous les doigts, puis elle s'écarta du four. Rose fit cuire la pâte pendant quinze minutes, jusqu'à ce qu'elle gonfle et devienne plus foncée.

— Inin ! appela Rose, surprise de constater qu'elle s'était bien adaptée à ce langage inversé.

— Ah, non, tu ne vas pas t'y mettrrre ! Fille du diaaable ! rugit Mme Carlson.

Rose leva le gâteau bien au-dessus de la tête de sa petite sœur.

— Sap ed uaetâg ruop iot ! dit-elle.

Bien sûr, Nini voulut tout de suite s'emparer de la boule au chocolat. Elle sauta en l'air, arracha le ramequin des mains de Rose et avala le petit gâteau en une bouchée. Aussitôt elle secoua la tête, abasourdie, puis bâilla, et elle monta l'escalier pour se rendre dans sa chambre... dans le sens normal.

— Il y avait quoi, dans ce gâteau ? interrogea Mme Carlson tout en se pourléchant les lèvres.

Rose haussa les épaules.

— Parfois, une fille a juste besoin d'un peu de chocolat.

— Je vais me coucher, grogna finalement Mme Carlson.

— On va *tous* se coucher rapidement, intervint tante

Lily. Parce que, dans une heure, nous ouvrons la pâtisserie. Nous devons être sûrs que tout est revenu à la normale.

Oliver et Origan suivirent Nini et Mme Carlson à l'étage, mais tante Lily retint Rose.

— Il n'y a qu'un mot pour te décrire, Rose. Tu es sensationnelle. Le reste de ta famille, tes parents, tes frères, ta petite sœur, ils sont super. Mais toi, tu es magnifique. Tu es la meilleure.

Rose embrassa sa tante et monta à son tour, songeuse. Origan était toujours embêtant, Oliver toujours distant, mais le fait qu'ils se soient unis pour former une équipe, ça, c'était plus important que tous les compliments qu'elle eût jamais reçus.

Lorsqu'elle se brossa les dents, Rose vit dans le miroir que son maquillage avait disparu. Toute cette agitation, à courir dans tous les sens et à faire des gâteaux... elle n'avait plus rien de fabuleux.

Le rouge à lèvres et le fard à paupières étaient-ils encore là quand elle avait parlé à Devin ? Comment le savoir ? Tante Lily lui avait dit qu'elle était « sensationnelle ». Mais devant son reflet dans la glace, Rose avait au contraire l'impression d'être une fille des plus ordinaires.

Son cœur fit un bond dans sa poitrine et, subitement armée d'un courage qu'elle ne se connaissait pas, elle prit une grande résolution : elle était prête à faire n'importe quoi pour se sentir comme elle s'était sentie aujourd'hui... pour le reste de sa vie.

N'importe quoi !

16
Lever et coucher du soleil

Rose se réveilla au bout d'une demi-heure de sommeil à peine. Elle était bien trop anxieuse pour dormir. Aujourd'hui, c'était comme le jour de Noël, sauf que le cadeau qu'elle espérait recevoir n'avait rien de banal : elle priait pour que tout soit redevenu comme avant, c'est-à-dire légèrement ennuyeux.

Par la fenêtre de la salle de bains, elle regarda dehors avec de grands yeux. Il n'était que 7 h 30, mais le ciel était déjà très bleu. On aurait dit que même le soleil était angoissé !

Rose se jura que si une seule personne franchissait le seuil de la pâtisserie à reculons, elle partirait. Elle irait se réfugier dans une ville lointaine, où elle serait adoptée par un couple charmant qui ne pouvait pas avoir d'enfant. Elle ne leur révélerait jamais ses origines de magicienne-pâtissière ni comment elle avait mené à la ruine une ville entière avant de l'abandonner comme Victor Frankenstein avait abandonné sa créature monstrueuse.

Rien de stressant dans tout cela.

Alors que Rose planifiait sa fuite, quelqu'un frappa à la porte d'entrée. Elle se précipita en bas de l'escalier et entra dans la boutique, toujours dans son jean et son tee-shirt à rayures de la veille.

Un homme frappait délicatement au carreau de la porte.

Ce n'était autre que l'acrobate et danseur exotique de Calamity Falls, M. Phibien.

Son apparence était redevenue normale. Il portait un beau pull bordeaux sous une veste grise parfaitement coupée. À en croire son odeur, il avait aussi pris une douche ! Ses cheveux blancs formaient de chaque côté de sa tête deux houppes aussi blanches et soyeuses que du coton fraîchement cueilli. Le parfum de son eau de Cologne picota les narines de Rose.

Rose sentit son cœur palpiter dans sa poitrine. Il y avait quand même quelque chose qui ne tournait pas rond chez M. Phibien. Il était trop propre, habillé comme un prof, ou un présentateur télé. Trop élégant.

Il vivait toujours à l'envers !

— Bonjour, Rose.

Au moins, il ne l'avait pas appelée Esor. Son haleine sentait la menthe.

— Bonjour, monsieur Phibien..., dit-elle, un peu inquiète.

— Je m'excuse d'être venu si tôt. J'ai besoin de deux muffins aux carottes.

Rose le regarda, perplexe. M. Phibien venait habituellement vers 8 h 30, à l'ouverture de la pâtisserie, et il n'avait jamais, depuis dix ans que Rose le connaissait, acheté plus d'un muffin à la fois. Rose prit deux muffins aux carottes dans la vitrine, les glissa dans un sachet en papier blanc et les tendit à M. Phibien.

— Merci, dit-il.

Puis il alla s'asseoir sur le banc en fer forgé qui se trouvait devant la porte, sur le trottoir.

C'était vraiment étrange. Rose pensa que la Tarte aux mûres du retour à la normale n'avait peut-être marché qu'à moitié. Peut-être que les gens parlaient et marchaient normalement, mais continuaient de se comporter à l'inverse de leurs habitudes. M. Phibien, raide comme un piquet sur le banc alors qu'il filait toujours comme s'il avait le diable aux trousses, ne mangeait même pas ses muffins.

Aux alentours de 8 heures, Chip arriva au magasin pour aider Rose à la mise en place.

— Aurais-je manqué quelque chose hier soir ? demanda-t-il.

— Oh... non.

« Juste une énorme soirée disco pleine de zombies », pensa Rose.

Ils nettoyèrent la vitrine et les tables en mosaïque, puis placèrent de nouveaux muffins à la place des vieux qui commençaient à devenir rances. Pendant ce temps-là, M. Phibien resta assis sur son banc. Le soleil brillait de plus en plus fort. Rose vit M. Phibien s'éponger le front avec un mouchoir. Il finit par retirer sa veste. Mais, à part ça, il ne bougea pas. Il ne toucha pas à ses muffins. Il avait l'air d'attendre quelque chose.

À 8 h 30, Rose retourna l'écriteau : OUVERT.

Lily aida Chip dans la cuisine pendant qu'Oliver venait rejoindre sa sœur à la caisse. Dix personnes faisaient la queue dehors.

— Je crois que tout le monde va bien, dit Rose à Oliver, qui avait enfilé une chemise propre à rayures et un pantalon plein de poches. Ils marchent normalement. Et on dirait qu'ils parlent normalement aussi. Le seul problème, c'est M. Phibien. Ça fait une heure qu'il n'a pas bougé.

— Il doit attendre quelqu'un.

Mme Bonnevoix fut leur première cliente. Elle portait une robe rouge vif et un châle.

— Rose, ma chère, j'ai besoin de biscuits à la cannelle. Des vrais, cette fois.

— Je m'excuse pour l'autre jour, madame Bonnevoix, dit Rose. J'imagine que le président du Cambodge a été déçu.

— Oh, il l'était. On a commandé une pizza à la place, et il s'est révélé qu'il souffrait d'une intolérance au lactose. Il a promis de ne plus jamais venir me voir, et je lui ai dit que c'était très bien comme ça. J'en ai assez de m'occuper de tous ces chefs d'État étrangers. Ils ont des accents tellement bizarres. On ne comprend rien à ce qu'ils racontent. Bref, pourrais-je avoir des biscuits à la cannelle, Oliver ?

Oliver fronça le nez.

— Bien sûr, dit-il sans conviction, furieux que Mme Bonnevoix ait menti une fois de plus.

Pendant qu'il disparaissait dans la cuisine, Mme Bonnevoix fit signe à Rose.

— Viens ici, Rose, je vais te dire la vérité, chuchota-t-elle. Quand on est aussi riche que moi, parfois, la richesse ne suffit pas. Il nous faut inventer des choses bien plus fabuleuses que ce que l'argent peut acheter. C'est ça, la vérité.

Quel aveu surprenant venant de la plus grande mythomane de la ville ! Rose regarda Mme Bonnevoix droit dans les yeux et lui sourit, car elle avait cessé de lui en vouloir dès l'instant où elle avait compris combien cette femme se sentait seule.

Oliver revint de la cuisine avec une boîte blanche pleine de petits biscuits dorés.

— Voilà, madame Bonnevoix. Et pour qui sont ces biscuits... ?

— Jimmy Carter et moi.

— L'ancien président des Etats-Unis ? s'esclaffa Oliver.

Rose réprima un fou rire. Au moins, Mme Bonnevoix avait toujours le sens de l'humour.

— Oui, confirma-t-elle. Jimmy et moi, on n'a pas honte de dire qu'on adore les biscuits à la cannelle.

— Je voudrais bien le rencontrer, dit Oliver. Vous pouvez me le présenter ?

— Il est très timide, répondit Mme Bonnevoix.

— Vous mentez ! l'accusa Oliver, soudain hors de lui. Vous êtes la pire des menteuses, vous mentez à propos de tout !

Rose plaqua sa main contre la bouche de son frère.

— Oliver ! s'exclama-t-elle.

Mais c'était trop tard.

— Très bien ! dit Mme Bonnevoix. Jimmy ! hurla-t-elle par la porte. Viens ici, Jimmy !

C'est alors que l'ancien président des États-Unis entra dans la pâtisserie Bliss. Il avait l'air plus vieux que dans les manuels d'histoire de Rose, mais cela n'avait rien d'étonnant. Quelques mèches de cheveux blancs encadraient son visage et tombaient sur le col de sa chemise de cow-boy en denim.

— La sœur de Jimmy était ma colocataire à l'université, expliqua Mme Bonnevoix.

Elle fit un clin d'œil à Rose.

— Et ça, c'est la vérité.

Oliver resta bouche bée.

— Les États-Unis d'Amérique vous remercient pour vos services, dit l'ancien président avec un bon sourire.

Mme Bonnevoix fit sonner son rire en cascade et le prit par le bras.

— Bonne journée, Rose ! À toi aussi, Oliver !

Oliver fit la grimace. Ça, c'était trop fort !

Cléa Molett entra dans la pâtisserie vêtue d'une robe de star de cinéma. Verte, très courte, et surtout bien trop moulante pour une lycéenne.

— Je voudrais un muffin aux myrtilles vidé, s'il vous plaît.

Rose fronça les sourcils.

— Vidé ?

— Oui. Vous retirez tout l'intérieur du muffin. Sinon, vous comprenez, il y a trop de calories.

En se demandant à quoi cela servait de manger un muffin si on le vidait, Rose enfila une paire de gants en latex et se mit au travail.

Oliver se pencha sur le comptoir et susurra à Cléa :

— Eh ! Tu te souviens, il y a deux jours, quand on s'est embrassés ? À travers la vitre ?

Cléa fit la sourde oreille.

— Tu m'as embrassé ! répéta-t-il plus fort. *On s'est embrassés.*

— Hum. Je n'embrasse pas les employés de pâtisserie, répliqua-t-elle, dédaigneuse.

— Mais tu as dit que tu m'*aimais*, continua Oliver avec un sourire diabolique.

— Je ne sais pas de quoi tu parles. Si au moins t'étais dans la finance, ou si t'étais un avocat, ou un truc dans ce genre, alors peut-être que je t'aurais embrassé, peut-être.

— Et tu ne te souviens pas de cette foule de filles à travers laquelle tu t'es frayé un chemin pour pouvoir m'embrasser ? Et…

— Laisse tomber, Oliver, lui souffla Rose.

Alors que Cléa Molett se retournait vers la sortie, ses lourdes boucles blondes fouettèrent la joue d'Oliver.

— Elle m'a vraiment embrassé à travers la vitre, chuchota-t-il. Je n'ai pas halluciné, n'est-ce pas ?

— Non, mais elle, si.

Oliver se mit à faire les cent pas derrière le comptoir.

— Ce n'est pas qu'elle me plaise. Mais j'aimerais juste qu'elle se souvienne qu'elle était folle de moi. Il me faut une photo de nous en train de s'embrasser. Est-ce qu'il y a une caméra de sécurité dans notre rue ?

Oliver jeta son tablier sur le comptoir. Rose savait qu'elle ne pouvait plus compter sur son aide aujourd'hui.

Oliver était revenu à la normale.

Dans le jardin, Origan et Nini sautaient sur place à l'endroit où le trampoline n'était plus. Mme Carlson bronzait dans sa chaise longue. Rose fit la moue. Elle était toujours la seule à s'occuper de la pâtisserie. Rien n'avait changé. Peut-être Lily avait-elle raison, peut-être n'étaient-ils pas aussi bons qu'elle.

Rose se serait sentie beaucoup mieux si M. Phibien avait bougé de son banc, mais il était toujours là, sous le soleil de plomb du mois de juillet, avec son pull. Et il n'avait toujours pas touché à ses muffins.

Mais l'arrivée de Devin Stetson dans la pâtisserie fit tout oublier à Rose.

Ses cheveux pleins de gel dessinaient une vague au-dessus de son front. Ses lèvres roses étaient un peu gercées. Sa peau laiteuse était bronzée.

Devin n'était jamais venu à la pâtisserie. Pourquoi maintenant ? Pourquoi aujourd'hui alors qu'elle n'avait pas fermé l'œil de la nuit et ne s'était même pas changée ? Elle se rappelait leur étrange rencontre, la veille, quand il avait appuyé l'arrière de sa tête contre sa joue.

Devin resta dans l'embrasure de la porte tandis que ses parents, vêtus de chemises hawaïennes et le nez chaussé de lunettes de soleil à visière, scrutaient la vitrine.

— Vous avez des tiramisus ? demanda Mme Stetson.

Ses yeux luisaient comme des billes.

— Ou est-ce qu'on dit *tiramisi* ? C'est quoi, le pluriel de tiramisu ? Vous savez : *gelato, gelati*... Vous voyez ce que je veux dire.

— Je n'y avais jamais pensé, répondit Rose. La plupart du temps, on me demande juste un tiramisu.

M. Stetson se dirigea vers les gâteaux en riant.

Devin resta sur le seuil à regarder le sol, le plafond..., tout sauf le visage de Rose. Il ne se souvenait pas de leur « baiser ». C'était évident.

Lorsqu'il croisa enfin le regard de Rose, il fit une moue gênée en montrant ses parents du menton, comme pour dire : « Je suis désolé. Ils sont vraiment pas sortables. »

Rose hocha la tête comme pour répondre : « Les miens sont pareils. »

Devin s'avança lentement vers le comptoir. Rose avait le visage brûlant et la gorge sèche.

— Tu viens souvent acheter des beignets chez nous, n'est-ce pas ?

— Pas *souvent*, dit-elle. Mais parfois, oui.

— Je m'appelle Devin.

— Moi, c'est Rose.

Elle cacha dans son dos ses mains tremblantes. Devin Stetson était en train de lui parler ! Sans l'aide d'un Gâteau renversé !

Rose sourit en emballant les tiramisus.

— Merci, ma chère, s'écrièrent M. et Mme Stetson en sortant avec leurs chemises hawaïennes.

Devin la salua d'un petit signe de tête.

— À bientôt. Tu passes pour un beignet ? lui lança-t-il.

Rose lui fit un salut militaire, puis se sentit trop idiote. Mais à cet instant elle surprit le reflet de Devin dans la glace : lui aussi avait l'air de ne pas se trouver très malin. Même s'il ne se rappelait pas avoir dansé avec elle, Rose avait quand même réussi à lui dire son nom. Un sourire heureux flotta sur ses lèvres.

Enfin, jusqu'à l'arrivée de Mlle Chardon. Elle accourait, en robe de coton légère.

— Attendez ! coassa M. Phibien d'une voix si sourde qu'on l'entendit à peine.

Comme elle s'arrêtait net sur le seuil de la pâtisserie, il répéta d'un ton plus clair :

— Attendez, mademoiselle Chardon.

C'était donc pour elle qu'il avait poireauté ! Mlle Chardon se retourna, stupéfaite. Apparemment, elle n'avait aucun souvenir des événements de la veille parce qu'elle fit un grand sourire à M. Phibien, qui avait vraiment l'air charmant malgré les grandes auréoles de sueur qui tachaient sa chemise sous ses bras.

— Mademoiselle Chardon, ces dingos m'ont donné deux muffins aux carottes par erreur. Voudriez-vous le deuxième ? Si je mange trop de féculents, mon appareil digestif fait des siennes.

Cela aurait été plus romantique s'il n'avait pas mentionné ses problèmes digestifs, songea Rose.

Mais Mlle Chardon ne sembla pas s'en offusquer. Elle s'assit à côté de M. Phibien et ils se mirent tous les deux à déguster leur muffin aux carottes, en s'échangeant des petits sourires gentils. Rose n'entendait pas ce qu'ils disaient – ils parlaient probablement de trucs scientifiques –, mais c'était un début. Cela ne la dérangeait même pas qu'il l'ait traitée de dingo.

Il y avait entre eux deux quelque chose de magique qui n'avait rien à voir avec les formules ni les bocaux bleus. Ce qu'il y avait de merveilleux, c'était la faculté de toute personne à changer, à grandir, à guérir sans l'aide d'aucune magie.

À la fin de la journée, une fois Chip rentré chez lui et Mme Carlson au lit, Rose s'assit à la table de la cuisine pour boire un verre d'eau. Elle regarda ses frères par la fenêtre. Ils poussaient Nini sur la balançoire chacun à son tour, si fort qu'ils l'envoyaient presque valser par-dessus la barre. C'était chouette, mais Rose se sentait étrangère à ce spectacle.

Tante Lily se matérialisa soudain à la table, vêtue d'une robe de soirée vintage en soie ornée de fleurs de lys orange vif.

— Rose, il faut qu'on parle. J'ai une proposition à te faire. Tu sais bien que j'admire ton potentiel. Je pense que tu devrais venir à New York avec moi.

Rose rougit et éclata de rire. L'idée d'aller à New York semblait si impossible qu'elle pensa d'abord à une blague.

— Pourquoi ?

— Je veux que tu viennes travailler sur mon émission de télé. D'abord, tu resteras en coulisses et tu m'aideras à trouver un moyen de présenter les recettes au public. Mais après, je voudrais que tu viennes sur scène avec moi ! Je te maquillerai et on sera deux superstars ! Tu as tellement de talent, bien plus que ce qu'exige le fonctionnement d'une petite pâtisserie. On se ressemble beaucoup, toi et moi. Tu ne dois pas hésiter à caresser de grands rêves. Tu es sensationnelle, ne l'oublie pas.

Rose s'imagina en train de cuisiner aux côtés de tante Lily dans une immense cuisine, sur un plateau de télévision avec des fans qui riaient et applaudissaient. Oh, ce serait merveilleux !

La voix vaporeuse de la cave avait donc raison. Rose souhaitait par-dessus tout être belle et importante. Mais elle ne voulait pas que cela se produise parce qu'elle avait bu le contenu d'une bouteille marquée TEINTURE DE VÉNUS. Elle tenait à le mériter. Peut-être que suivre Lily était la solution...

Rose pinça les lèvres pour s'empêcher de sourire.

— Mais où trouver les recettes ?

— Eh bien, c'est le seul problème. On aura besoin du *Livre de recettes des Bliss*. J'ai recueilli des recettes extraordinaires durant mes voyages, mais je n'en ai que pour quelques épisodes.

— Alors tu veux... voler le livre ?

Tante Lily émit un petit rire nerveux.

— Non, bien sûr que non ! Je ne ferais que l'emprunter !

— Mais mes parents vont remarquer qu'il n'est plus là. Et comment feront-ils pour leurs gâteaux ? Et moi, je vais leur manquer, non ? ajouta-t-elle d'une petite voix.

Tante Lily posa son doigt sur le nez de Rose et le fit remuer de gauche à droite.

— Ça, mon ange, c'est ce qu'il y a de plus facile. Quand j'étais jeune, j'ai appris une recette formidable pour confectionner une sucrerie appelée Biscuit de l'oubli. Tu n'as qu'à murmurer le nom de ce que tu veux qu'ils oublient – en l'occurrence le *Livre de recettes des Bliss*, Rose, Lily – puis mélanger le murmure à la pâte. On en donnera à Oliver, Origan, Nini, Chip et Mme Carlson, et même à tes parents. Tous oublieront que le livre a jamais existé. Ils t'oublieront toi, et moi. Tu ne leur manqueras absolument pas ! Ils continueront à faire tourner leur superbe petite pâtisserie. Seulement, bien sûr, il n'y aura plus de magie. Et ils continueront d'aimer leurs autres adorables enfants. Pendant ce temps-là, toi et moi, on deviendra super connues, respectées, adorées.

Rose, abasourdie, demanda :

— Et ces biscuits, ils marchent vraiment ?

— Oh, je sais qu'ils marchent, dit Lily avec un sourire. Je les ai déjà utilisés. Comment crois-tu que j'aie échappé à ma propre famille ? J'étais faite pour de grandes choses, et ils me tiraient en arrière. Grâce aux biscuits, ils ne se sont jamais plus mis en travers de mon chemin.

Rose regarda à nouveau ses frères pousser Nini sur la balançoire. Pouvait-elle les abandonner ? Leurs vies seraient-elles aussi belles sans elle ?

En même temps, pouvait-elle rester et laisser les choses redevenir ce qu'elles étaient avant ? Supporter la corvée des courses pendant que ses parents faisaient de la magie et que ses frères et sœur s'amusaient ? Pas après une semaine pareille. Pas après avoir goûté aux miracles du livre de recettes magiques.

— Je ne sais pas si je peux, souffla Rose timidement.

— Tu veux rester ici toute ta vie à gâcher ton talent, ou gagner le respect de millions de personnes et devenir une star… comme moi ?

Une star respectée par des millions de personnes. C'était son rêve. Mais à quel prix ?

— Quand partirait-on ? demanda Rose d'une voix rauque.

— Demain matin. Je vais préparer la pâte des Biscuits de l'oubli dès ce soir. Si tu veux me rejoindre dans la cuisine, on fera de la magie…

Alors que tante Lily achevait d'expliquer son plan,

Oliver et Origan portèrent Nini dans la cuisine et l'installèrent à la table entre Lily et Rose.

Origan se campa debout à côté de la table.

— Je propose que nous commandions une *pizza* pour le dîner ! dit-il en saluant d'une flexion du buste et en levant le bras devant lui, coude plié, comme s'il portait une cape. C'est le dernier soir avant le retour de papa et maman. Fini la bonne nourriture. Fini la magie.

— En effet. Plus de magie, opina Rose.

Alors c'était vrai. Même Origan était de cet avis. Ils ne seraient jamais plus autorisés à utiliser le livre, même s'ils ne disaient rien de tous les problèmes qu'ils avaient causés.

Une fois Nini mise au lit, Rose fourra des vêtements et son réveil dans le grand sac de voyage jaune qu'elle emportait quand elle dormait chez une amie. Puis elle descendit l'escalier. Tante Lily se tenait devant le plan de travail, un bocal bleu vide à la main.

— Lily, murmura-t-elle dans le bocal.

Le murmure commença par former des lueurs vertes tourbillonnantes puis une image fantomatique du sourire de Lily.

Tante Lily n'avait pas vu Rose. Celle-ci continua à l'observer.

— Le *Livre de recettes des Bliss*, murmura Lily.

Le souffle se transforma en l'image familière de la reliure de cuir du grimoire.

— Rosemary.

Lorsque tante Lily prononça son nom, Rose sentit la chair de poule hérisser ses bras.

Elle vit le murmure de Lily se muer en une silhouette miniature. On aurait dit que son image frappait les murs de verre en hurlant pour qu'on la laisse sortir.

Tante Lily referma le bocal et le secoua. Puis elle l'ouvrit au-dessus d'un saladier en métal où reposait une pâte grumeleuse. Les murmures s'y déversèrent. La boule de pâte s'éleva et se brisa en mille morceaux qui restèrent suspendus dans l'air chaud de la cuisine.

Les morceaux de pâte se mirent à tourner, d'abord lentement, puis plus rapidement, comme des feuilles prises dans une petite tornade. Tout à coup, ils retombèrent dans le bol, comme aspirés par un siphon.

Tante Lily malaxa la pâte à pleines mains.

— Bon. C'est fait.

Redressant la tête, elle aperçut Rose sur le seuil et lui fit un grand sourire.

— Je viens à New York, chuchota Rose.

17
Retour à la maison

Le lendemain matin à l'aube, tante Lily entra dans la chambre de Rose et la secoua pour la réveiller.

— Allons-y, mon ange ! Les biscuits sont dans le four !

Rose enfila le jean et la chemise bleue qu'elle avait préparés la veille en vue du voyage et alla dans la salle de bains pour se brosser les dents.

Elle fut surprise d'y trouver Oliver, Origan et Nini, comme si c'était déjà « l'heure de la brosse ». Oliver était aussi beau et exaspérant que d'habitude dans son short de foot. La tignasse d'Origan était un méli-mélo de boucles rousses. Nini regarda Rose avec de grands yeux confiants qui dévoraient la moitié de son visage. Il avait été plus facile pour Rose de s'imaginer les quitter la veille, quand ils ne se trouvaient pas en face d'elle.

— Mais qu'est-ce que vous faites tous debout aussi tôt le matin ?

— On va préparer le petit déjeuner pour papa et maman, claironna Origan.

— Tu peux nous aider ? demanda Oliver. On ne sait pas faire grand-chose tout seuls.

Nini tira sur le jean de Rose pour obtenir son attention.

— Regarde ce que j'ai pris, Rosie.

Rose baissa la tête et vit que Nini tenait son appareil Polaroid.

— Pourquoi tu as ça ? s'enquit-elle.

— Je veux une photo ! déclara Nini de sa petite voix de bébé.

Elle désigna Rose et ses frères du doigt.

— Viens dans la photo, *mi hermana*, dit Oliver.

Il passa son bras autour de Rose, l'autre autour d'Origan. Puis Rose saisit Nini et la serra fort contre elle. Nini tendit les bras, l'objectif tourné vers eux. Un flash s'en échappa.

Origan souffla sur la photo quand elle sortit du Polaroid et la tendit à Nini. Tout le monde se pencha pour voir apparaître l'image.

Au bout d'une minute, le portrait de groupe devint net. Ils se tenaient tous bien droits. Le bel Oliver, Origan à la chevelure de flammes, Nini à la frimousse étonnée et Rose avec ses longs cheveux sombres, le mouton noir.

— Je la garde, déclara Rose à sa petite sœur.

Elle prit la photo et la glissa dans la poche de sa chemise, contre son cœur.

— Pourquoi tu pleures, Rose ? demanda Origan. T'es pourtant pas si moche que ça sur la photo.

Rose essuya les larmes sur sa joue.

— C'est juste… que… je vous aime, c'est tout.

Oliver et Origan regardèrent Rose comme si elle avait soudain cinq têtes. Nini se contenta de serrer les jambes de sa grande sœur dans ses bras.

— Mais nous aussi on t'aime, Rosita, dit Oliver. Ça va de soi !

Rose détacha sa petite sœur de son jean et s'enfuit en courant de la salle de bains. Elle ne pouvait supporter de voir leurs visages plus longtemps.

— Où est-ce que tu vas, Miss Cinglée ? cria Origan. C'est quoi, leur problème, aux filles ?

— Je reviens ! répondit Rose en dévalant l'escalier.

Elle mentait, mais au moins, grâce à la magie, elle ne leur manquerait pas.

En bas, elle trouva tante Lily qui avait disposé les biscuits dans un panier à pique-nique sur la table avec un petit mot disant : « Mangez-moi ».

— Prête ? demanda tante Lily avec enthousiasme.

Ses cheveux étaient noirs et brillants comme ceux de Rose. Sa robe était blanche avec des petites fleurs sur l'ourlet.

— Prête, opina Rose gravement.

Elle tira la photo de sa poche et regarda sa famille.

— N'est-ce pas adorable ? dit tante Lily en se penchant sur son épaule.

Puis elle saisit le cliché des mains de Rose et le jeta à la poubelle.

— Pourquoi tu as fait ça ? s'écria Rose, furieuse.

— Je ne peux te laisser prendre aucune photo avec toi, Rose. Elles perturbent la magie des Biscuits de l'oubli. Si tu regardes la photo de ceux qui en ont mangé, alors ils se souviendront de toi. Et ils souffriront beaucoup, parce qu'ils sauront que tu es partie. Je suis désolée, mais tu dois briser tous les liens. C'est mieux pour tout le monde.

Sur ce, tante Lily ramassa sa valise en tweed et sortit par la porte de derrière.

— Tu viens, mon ange ?

Rose regarda sa tante Lily, sa coupe de cheveux à la mode, ses lèvres bien peintes et l'arc parfait de ses sourcils. Soudain, une lueur d'impatience brilla dans ses yeux maquillés. Et Rose éprouva de nouveau cette méfiance que lui avait si souvent inspirée sa tante Lily.

Rose n'avait pas prévu de jeter les biscuits à la poubelle. Pourtant, c'est ce qu'elle fit. Cela avait été plus fort qu'elle. Elle ramassa la photo sous la pile de miettes et la remit dans sa poche.

— Non ! hurla Lily. Qu'est-ce que tu fais ?

— Je suis désolée, tante Lily, dit Rose calmement, mais je ne peux pas laisser ma famille derrière moi. Ils ne sont pas parfaits, loin de là, mais je ne peux pas voler le livre et m'enfuir. Ce ne serait pas juste. Et même s'ils mangeaient ces biscuits et m'oubliaient, moi, je penserais à eux tout le temps. À quoi ça sert de devenir célèbre si les seules personnes qu'on aime ont oublié notre existence ?

Rose laissa échapper un soupir. Voilà, c'était ça, la vérité.

Tante Lily était hors d'elle. Rose ne l'avait jamais vue ainsi. Le visage rouge, les coins de la bouche retroussés en une ignoble grimace.

— Mais ils ne t'apprécient pas à ta juste valeur ! Quand tes parents rentreront, ils enfermeront le livre et ne te laisseront plus rien cuisiner, et tes frères recommenceront à t'ignorer ! Ils ne t'aiment pas Rose, alors que *moi*, si, je t'aime.

— Tu ne me connais même pas !

— Comment ça ? hurla tante Lily. Bien sûr que si !

— On s'est rencontrées il y a une semaine. Si tu m'aimais, tu aurais été là dès le départ. Tu serais restée avec moi, comme l'ont fait mes frères et mes parents. Tu ne serais pas juste venue en profitant de leur absence pour voler notre livre.

Lily n'essaya même pas de nier. Rose comprit alors que tout avait été calculé : Lily était là uniquement pour le livre.

— Si tu viens avec moi, tu deviendras célèbre. Tu seras grandiose. Les gens t'admireront. Je t'apprendrai tous les trucs ! Tu crois que des garçons comme Devin Stetson vont te tomber dans les bras sans l'aide de la magie ?

Tante Lily agita un doigt.

— Tu te trompes, Rose, tu as besoin de moi. Sans ta tante Lily, tu n'es rien.

Rose fronça le nez de dégoût. Tante Lily n'était pas cette femme forte et indépendante que Rose s'était imaginée. Au contraire, elle était terriblement faible. Peut-être qu'elle ne plairait pas à Devin Stetson sans maquillage. Peut-être que ses parents ne la laisseraient pas faire de magie une fois qu'ils seraient rentrés…

Mais au moins ses parents l'aimaient.

Tante Lily n'aimait que sa propre personne.

— En fait, tante Lily, je m'en sors très bien, rétorqua Rose. C'est toi qui n'as rien.

Rose présenta sa paume ouverte.

— Maintenant, donne-moi la clef.

Tante Lily enleva la clef de son cou en ricanant avant de la laisser tomber au creux de la main de Rose.

— Amuse-toi bien, dit-elle froidement.

Sur ces paroles, tante Lily installa son sac en tweed sur sa moto, l'enfourcha et démarra en trombe.

En entendant le bruit de moteur et le crissement des pneus, Oliver et Origan se précipitèrent en bas de l'escalier avec Nini.

— C'est tante Lily qui vient de partir ? demanda Origan. Sans même nous dire au revoir ?

— Elle était pressée, dit Rose.

Elle ne put s'empêcher de sourire. Puis elle passa ses bras autour des épaules de ses frères, baissa la tête vers Nini et déclara :

— Et maintenant, c'est parti. Concoctons un bon petit déjeuner.

Une demi-heure après le départ de tante Lily, un cortège de voitures noires s'arrêta devant la maison. La jolie voix de soprano de Céleste carillonna aux oreilles de Rose, Oliver, Origan et Nini, aussi mélodieuse qu'une cloche de Noël :

— Les enfants ! On est rentrés ! Vous ne nous avez pas oubliés ?

Albert et Céleste entrèrent dans la cuisine par la porte du jardin. Nini ne fit qu'un bond jusqu'aux bras grands ouverts de son père.

Céleste attira Rose contre elle et l'embrassa sur le front. Rose sentit le doux coton de la robe de sa mère, les boucles souples de ses cheveux, son odeur de miel, de farine et de beurre. Elle se demanda comment elle avait pu penser une seule seconde à quitter sa famille. Comment aurait-elle pu vivre sans eux ? Et elle se jura qu'elle ne révélerait à personne le fait qu'elle avait accepté, durant quelques heures, de partir avec tante Lily.

— Oh ! Je t'aime tellement ! murmura Céleste en bécotant le front de Rose comme un pic-vert affamé.

Albert posa Nini sur le sol et serra Origan et Oliver contre son cœur.

— Mes garçons ! soupira-t-il d'une voix émue.

Mme Carlson descendit l'escalier en traînant sa valise derrière elle d'un air tout à la fois excédé et épuisé. Elle avait pris dix ans en l'espace d'une semaine.

— Ah ! Dieu merci, vous êtes rrrevenus ! C'est un mirracle que je sois toujourrrs en vie ! Je n'en peux plus ! Vous avez des enfants trrrès étrrranges ! Enfin, c'est une ville très bizarre, de toute façon ! Je rrretourne à Glasgow, où personne ne parle à l'envers. Jamais !

Alors que Mme Carlson disparaissait dans la boutique, Céleste tourna vers Rose un visage interloqué.

— Mais de quoi elle parle ?

— Oh, c'est juste une blague.

Rose aperçut soudain Janice Hammer dans la cuisine. Elle assistait avec une expression sévère aux effusions familiales.

— Vos parents sont des héros ! déclara-t-elle en croisant le regard de Rose.

Origan se mit à sauter sur place.

— Ils ont guéri la grippe ? demanda-t-il.

Le maire Hammer s'éclaircit la gorge.

— Non seulement ils nous ont débarrassés de la grippe, mais ils ont aussi guéri quelques cas de problèmes de mémoire à court terme, et un ou deux cœurs brisés. À croire que leurs croissants sont magiques !

Elle éclata d'un grand rire qui fit tressaillir tout le monde.

— Magiques ! Ha ha ! Je dirais même plus : ces croissants semblaient avoir un effet… d'un autre monde.

Mme Hammer revint soudain sur terre.

— Et c'est pour ça qu'on a donné les clefs de la ville à vos parents.

Albert souleva avec fierté une grande clef en carton jaune emmaillotée d'un ruban rouge qui pendait à son cou.

— Qu'est-ce qu'elle ouvre ? interrogea Origan, tout excité. La mairie ? Est-ce qu'on peut y faire une fête ?

Mme Hammer cligna nerveusement des yeux en regardant Origan.

— Ça n'ouvre rien ! C'est un symbole de notre gratitude et de notre respect !

— Le respect, hein ? grogna Origan. Le respect, c'est une chose. Mais pouvoir célébrer mon dixième anniversaire sur le thème du cirque dans votre mairie, c'en est une autre.

Céleste fit descendre la tension d'un cran en se tournant vers ses enfants et en chantonnant :

— Alors, tout s'est bien passé ?

Rose ouvrit la bouche pour répondre, mais Mme Hammer lui coupa la parole :

— Bon, j'y vais. Je ne veux pas avoir à entendre… Je veux dire : je ne voudrais pas déranger ces charmantes retrouvailles familiales.

Elle salua Albert et Céleste.

— Merci pour tout.

Puis elle se précipita dans son Hummer, remonta la vitre teintée et s'éloigna suivie de son cortège de voitures repeintes.

Rose leva les yeux au ciel.

— Est-ce qu'elle est aussi stressée tout le temps ?

— Pire, dit Albert avec un sourire. Maintenant, répondez à votre mère. Comment s'est passée la semaine ?

Rose se tourna vers Origan et Oliver d'un air désespéré. Ils lui rendirent son regard. Impossible d'avouer la vérité à leurs parents. Si seulement ils s'étaient consultés pour inventer un mensonge commun…

— Oh, comme sur des roulettes, affirma Rose. Chip a été super. Mme Carlson très sympa. Bref, rien d'extraordinaire à signaler.

Céleste sourit en ramenant une de ses soyeuses boucles noires derrière son oreille. Albert resta planté derrière elle, ses bras couverts de poils roux croisés sur sa maigre poitrine.

— C'est tout ? Racontez-moi ! insista Céleste. Qui a cuisiné quoi ? Les clients ont-ils réclamé quelque chose de spécial ?

Rose allait mettre fin à la discussion en faisant « non » de la tête quand Oliver décida d'y mettre son grain de sel.

— Heu… J'ai fait quelques muffins, bredouilla-t-il. J'ai… j'ai inventé de nouveaux muffins. Ils étaient super géants. Deux muffins de la taille de ballons de basket, que j'ai coupés en tranches comme un gâteau. Les gens m'ont dit que j'avais inventé un nouveau genre de pâtisserie appelé le gâteau-muffin... et j'ai même reçu un prix!

Rose venait d'apprendre quelque chose de nouveau à propos de son frère: il était le plus mauvais menteur de la Terre.

— Un prix? répéta Albert, sceptique.

— De ma part, précisa Rose en espérant que cette pirouette mettrait fin à la conversation. Je lui ai offert... les félicitations de sa sœur!

Puis ce fut au tour d'Origan de s'en mêler.

— Moi j'ai fait du cheesecake! C'était... un cheesecake à l'oignon et tout le monde a dit que ce serait dégoûtant, mais ils l'ont tellement aimé que j'ai reçu un prix mieux qu'Oliver.

Albert et Céleste plissèrent les yeux, de plus en plus soupçonneux.

— Et puis, quelqu'un a commandé un gâteau de mariage en forme de requin et je l'ai fait, continua Origan.

Pour appuyer ses paroles, Origan fit claquer ses dents plusieurs fois.

— Un requin! répéta-t-il. Et il a fallu prendre la voiture pour le livrer. Deux heures de route!

De petites rides de colère commençaient à plisser le front d'Albert.

— Vous avez pris la voiture? Lequel de mes enfants non titulaire du permis a conduit le monospace?

Rose réagit rapidement:

— Oh, ne t'inquiète pas. C'est Chip.

— Non ! coupa Origan. C'est Oliver. Il a conduit avec son permis accompagné.

Oliver donna une claque derrière la tête de son frère.

— Oliver, est-ce vrai ? demanda Albert.

Oliver regarda dans le vide comme un écureuil apeuré, sans savoir vers qui se tourner.

Albert et Céleste échangèrent un regard, puis Céleste donna un grand coup sur le comptoir.

— Bon. On sait que vous mentez comme des arracheurs de dents, tonna-t-elle. Rien que parce que personne n'a jamais commandé un gâteau de mariage en forme de requin de toute l'histoire de la pâtisserie. Alors, qu'est-ce qui s'est vraiment passé ?

Rose voulut expliquer qu'elle avait eu un problème avec le livre de recettes, et que tante Lily les avait aidés à le résoudre, mais dès que tante Lily surgit en pensée dans sa tête avec sa grande silhouette, ses hanches rondes, ses cheveux courts et son petit nez délicat, Rose fut incapable de bouger la langue.

Elle ouvrit la bouche mais aucun son n'en sortit, ou plutôt, on aurait dit un chat qui essayait de cracher une boule de poils. Les garçons se mirent aussi à crachoter.

— Qu'est-ce qui ne va pas ? demanda Albert. Pourquoi ne pouvez-vous pas parler ?

— Oh ! non ! s'écria Céleste. On dirait qu'ils sont sous le charme d'une Tarte tiens-ta-langue ! N'est-ce pas, Albert ?

Albert réfléchit un instant.

— Tu as raison ! Mais qui leur aurait donné de la Tiens-ta-langue ? Et pourquoi ?

Rose n'y comprenait plus rien. Une Tarte tiens-ta-langue ?

S'agissait-il d'un autre nom pour une des recettes qu'ils avaient faites cette semaine ? Peu importait, d'ailleurs. Rose et ses frères n'avaient rien avalé de ce qu'ils avaient concocté.

Puis Rose se souvint de la tarte scintillante aux couleurs de l'arc-en-ciel que leur avait préparée Lily le premier soir. Ils avaient tous pensé que c'était la tarte la plus délicieuse au monde. Après l'avoir mangée, Oliver n'avait pas réussi à mentionner tante Lily à ses parents au téléphone. Cette tarte scintillante les avait-elle rendus incapables de prononcer le nom de la pâtissière ?

Mais bien sûr ! Puisque Lily était venue chez eux dans l'unique but de prendre le livre, il lui fallait faire en sorte qu'Albert et Céleste ne sachent rien de sa présence.

Rose tenta de poser une question sur la tarte, mais sa phrase sortit toute tordue :

— On a mangé une tarte. Faite par…

Puis sa langue gonfla et retomba toute molle dans sa bouche. Elle ne pouvait plus la bouger.

Albert et Céleste entamèrent une discussion animée. Rose se rappela alors que Nini n'en avait avalé qu'une bouchée.

Elle s'accroupit et prit la petite fille dans ses bras.

— Nini, dis à papa et maman qui est venu nous voir cette semaine.

Nini réfléchit un instant, un doigt posé sur ses lèvres, puis s'exlama :

— Tante Lily !

Albert et Céleste cessèrent de parler. Ils avaient un air paniqué que Rose ne leur avait jamais vu. C'était terrifiant.

— *Lily* était là ? demanda Céleste en serrant les poings.

Rose, Oliver et Origan hochèrent la tête.

— Vous a-t-elle fait manger une tarte qui brillait comme les écailles d'un poisson, comme le duvet sur le cou d'un canard ? questionna Albert, les yeux ouverts si grand que ses cils touchaient presque son front.

Rose hocha à nouveau la tête. C'était exactement ce qu'ils avaient mangé.

— Pourquoi lui avoir permis d'entrer ? insista Céleste, exaspérée.

Rose tenta d'expliquer :

— Elle a dit…

Comme elle ne pouvait former aucune phrase, elle montra du doigt son omoplate, puis souleva son pantalon pour montrer sa tache de naissance en forme de louche.

— Lily vous a montré sa tache de naissance pour vous faire croire qu'elle faisait partie de notre famille ? dit Albert.

Rose hocha la tête pour la troisième fois.

— Attends, elle n'est *pas* de notre famille ? s'écria Origan, à la fois déçu et furieux, comme si on venait de lui annoncer que la petite souris n'existait pas.

— Techniquement, elle en fait partie, expliqua Céleste. Mais elle vient de la branche à laquelle on ne parle pas.

— Le côté d'Albatross ? réussit à articuler Oliver.

— Oui, dit Céleste. Ce sont de sacrés numéros. Je connais Lily parce qu'elle est venue une fois, il y a des années, quand Oliver était tout bébé, et elle a essayé de voler *Le livre de recettes des Bliss.*

Rose secoua la tête de dégoût, et de nouveau, quand elle ouvrit la bouche, rien n'en sortit : elle ne pouvait toujours pas prononcer le nom de tante Lily.

— Elle a dit qu'elle ne connaissait pas l'existence du livre ! fit-elle.

— Mais quand on le lui a montré, elle l'a adoré ! enchérit Origan.

Céleste, le souffle coupé, se plia en deux comme si on venait de lui donner un coup de poing dans l'estomac.

— Vous lui avez *montré* le livre ? Comment avez-vous pu faire une chose pareille ?

Rose sentit ses yeux se remplir de larmes. Elle eut l'impression que le monde s'était dérobé sous ses pieds mais qu'elle était restée là, en suspension, flottant dans une mare gélatineuse de terreur et de honte. « Au moins, je ne me suis pas enfuie avec elle, voulait-elle crier. Au moins, je lui ai dit de partir, et le livre est toujours en sécurité. »

Puis elle retrouva l'usage de sa langue. Comme si la peine qu'elle venait de causer à sa mère l'avait libérée de l'emprise de la tarte magique.

— LLLL… LLLLL… lllllll… ily ! réussit-elle à dire. Tante Lily !

Après s'être longtemps concentrés, Origan et Oliver réussirent également.

— Lily !

Apparemment, la Tarte tiens-ta-langue avait un défaut : ses effets se dissipaient sous l'effet d'une grande peur.

— Tante Lily ne volerait jamais rien! commença Origan. Tante Lily est la plus belle, la plus intéressante, la plus gentille, la plus fantastique personne que j'aie jamais rencontrée! Elle voulait qu'on lui montre le livre pour nous aider à réparer les dégâts qu'on avait causés dans la ville. Sans elle, tout le monde serait encore à marcher à reculons!

Albert fronça les sourcils.

— Et *pourquoi* est-ce qu'ils marcheraient à reculons?

Origan avoua toute l'histoire du début à la fin. C'était assez confus, mais leurs parents ne se souciaient guère des détails. Quand il eut terminé, Origan sourit et fit une petite révérence, comme s'il venait de terminer un numéro dans la plus grande salle de spectacle du monde.

Sauf que cela n'avait rien d'une comédie.

Rose ne se rappelait pas s'être sentie aussi mal à l'aise de toute sa vie.

— Cette femme est très dangereuse, déclara Céleste. Mon Dieu, mais qu'est-il arrivé à nos enfants?

Elle regarda la pièce autour d'elle comme si elle l'observait pour la première fois.

— Mais elle si gentille et si jolie! plaida Oliver.

— Les plus dangereux prédateurs le sont toujours, lui fit remarquer Albert. Souviens-t'en toute ta vie, mon fils.

Céleste pressa ses mains contre ses tempes.

— C'en est assez! Où est-elle? Et où est le livre?

— Rose? dit Albert sans cacher sa colère. Puis-je avoir la clef qu'on t'a confiée, s'il te plaît?

— Ne t'inquiète pas, papa. J'ai la clef. Et elle, elle est partie.

— Et le livre est en sécurité ? demandèrent Céleste et Albert d'une même voix.

— Il n'y a qu'un moyen de le savoir, dit Rose en prenant dans sa poche la petite clef en forme de fouet que Lily lui avait rendue.

Rose frissonna lorsqu'elle s'avança dans la chambre froide. Elle n'avait pas froid, elle venait de comprendre que son instinct ne l'avait pas trompé. Tante Lily était louche. Elle était soulagée d'avoir résisté à la tentation de partir avec elle à New York et de s'être souvenue de lui demander la clef avant qu'elle puisse dérober le livre.

Rose souleva la tapisserie, inséra la clef dans la serrure et tourna. Albert, Céleste, Oliver, Origan et Nini se pressaient derrière elle. Elle tira sur la chaîne afin d'allumer l'ampoule. Le pupitre était vide, à l'exception d'une enveloppe couleur crème.

Le livre n'était plus là.

Rose s'effondra à genoux et entendit sa mère hurler son nom, comme si elle se trouvait sous l'eau. Puis, elle tomba dans un trou noir.

18

Un tour de magie : la disparition

Rose se réveilla dans son lit. Nini était en train de sautiller sur place à côté d'elle. Elle leva la tête et vit sa mère, son père, Oliver et Origan qui la regardaient d'un air inquiet. Elle sentit une serviette mouillée sur son front.

— Qu'est-ce qui s'est passé ? chuchota-t-elle.

— Tu t'es évanouie, ma chérie, répondit Céleste. Tu as tourné de l'œil comme une dame du XIXe siècle qui a des vapeurs…

— Où est le *Livre de recettes des Bliss* ? demanda Rose en essayant de se redresser.

Albert posa doucement ses mains sur ses épaules pour la maintenir allongée.

— Repose-toi, ma chérie, dit-il. Le livre n'est plus là. Elle nous a laissé une *lettre* en échange.

— Qu'est-ce qu'elle dit ? s'enquit Rose en priant pour que tante Lily n'y ait pas révélé son acte de trahison.

— On ne l'a pas encore lue. Nous occuper de toi nous a paru plus important.

Albert tira une feuille de papier ordinaire de la petite enveloppe que Rose avait aperçue sur le pupitre. Il la déplia, s'éclaircit la gorge et lut à voix haute :

Ma chère cousine au quatrième degré Céleste

Comme tu l'as constaté, j'ai pris possession du Livre de Recettes des Bliss. Céleste, je n'ai pas fait ça pour te causer de la peine, ou pour nuire à tes remarquables enfants, mais parce que je considère que ton droit sur le livre a expiré. Depuis la dispute de nos arrière-arrière-arrière-grand-pères Filbert et Albatross, le livre est passé dans ta branche de la famille, et vous n'avez rien fait d'autre avec que de faire tourner des petites entreprises dans des villes excentriques. Et puisque je pense être plus apte à utiliser le potentiel économique et politique de ce livre, je me le suis approprié.

S'il te plaît, ne te laisse pas dominer par tes préjugés contre ma famille. Je ne suis pas une créature des ténèbres comme les autres descendants d'Albatross. Je compte utiliser ces recettes pour aider ceux qui sont incapables de s'aider eux-mêmes. Je vais les diffuser au cours d'une émission télévisée promise à un grand succès. Je suis convaincue que je rends un grand service d'une part à la planète en libérant ce livre de sa chambre froide, et d'autre part à tes enfants en les déchargeant de la lourde responsabilité de veiller sur ce secret.

Cherchez-moi à la télé !

Gros bisous,

Tante Lily.

— Et puis elle a embrassé le papier, précisa Albert en retournant la feuille pour montrer la marque de rouge à lèvres imprimée par la bouche de Lily.

— La petite garce égoïste et manipulatrice ! s'exclama Céleste. Cette partie de la famille ne fait que répandre de la mauvaise graine.

— C'est vraiment nul, pesta Oliver en croisant les bras sur sa poitrine. Comment on est censés faire tourner la pâtisserie sans le livre ?

— Ce n'est pas notre plus gros problème…, déclara Albert. Et si elle décidait de répandre les recettes les plus destructrices du livre ? Et si elle déversait la folie de *L'Apocryphe d'Albatross* sur l'Amérique ? Des villes entières sombreraient dans le chaos ! Le pays courrait à sa perte !

Rose remonta le drap sur sa tête et se mit à sangloter.

— Maman, papa, je suis désolée d'avoir causé tous ces problèmes. Je voulais juste vous montrer que je pouvais être une bonne pâtissière-magicienne. Pour que vous me respectiez. J'ai essayé de tout faire correctement. Mais voilà, j'ai tout fait de travers.

Céleste souleva le drap et l'embrassa sur la joue.

— Ma chérie, on te respecte ! Tu es la plus intelligente, la plus talentueuse de la famille. On sait bien qu'on complimente tout le temps Oliver sur son physique, Origan sur sa drôlerie et Nini sur son charme de bébé adorable. Et parfois, on te délaisse un peu, c'est vrai. Mais la vérité, c'est que cette famille ne tiendrait pas le coup sans toi.

Albert approuva de la tête. Oliver caressa le genou de Rose. Nini fourra son nez dans le cou de sa sœur.

Origan sauta sur place, fou d'impatience.

— Est-ce qu'on peut prendre le petit déjeuner, maintenant ?

Rose ne put s'empêcher de rire. Plus fort qu'elle ne l'avait fait depuis le début de l'été. Ses parents l'aimaient et la respectaient. Dans le secret de son cœur, elle se dit qu'elle l'avait toujours su. Mais parfois – comme maintenant – cela faisait du bien de l'entendre.

— Bien sûr, Origan, dit Rose en s'asseyant. On va manger !

En bas, dans la cuisine, Origan aperçut la douzaine de biscuits dans la poubelle.

— Oh ! Des biscuits ! On peut les manger ? demanda-t-il.

— Non !!! hurla Rose. Ils sont... pas bons.

Rose regarda Céleste sortir des œufs du frigo. Albert faisait sauter Nini sur ses genoux. Oliver et Origan mimaient un combat de karaté. Les cheveux de Céleste étaient en bataille. Les chaussettes d'Albert en accordéon. Nini portait le même tee-shirt depuis le début de la semaine. Oliver était aussi vaniteux que Cléa Molett, et Origan, quoique comique, était plutôt ridicule.

Mme Carlson avait raison. Ils formaient une famille bien « étrrrange ».

Et une famille, c'était ce que tante Lily n'aurait jamais parce qu'elle avait abandonné la sienne. Lily était vulnérable car elle était seule au monde.

— Vous savez quoi ? dit Rose en regardant les traces laissées par les pneus de la moto de tante Lily dans l'allée.

— Quoi, *mi hermana* ? fit Oliver.

Les Bliss au complet se tournèrent vers Rose. Ils étaient tous là les uns pour les autres. Rose savait ce qui lui restait à faire. Mais bien sûr, elle aurait besoin de leur aide.

— Je vais récupérer notre grimoire.

— Chaque chose en son temps, ma chérie. Chaque chose en son temps, répéta Céleste en s'essuyant les mains sur un torchon. D'abord, il faut manger. Personne n'a jamais rien fait de bien l'estomac vide.

Céleste déposa un grand plat d'œufs brouillés sur la table. En engloutissant son repas, Rose écouta les autres rire et raconter des histoires. Même après l'arrivée de Chip, ils restèrent tous dans la cuisine modeste mais accueillante de la pâtisserie Bliss.

Rose s'aperçut alors qu'elle était heureuse.

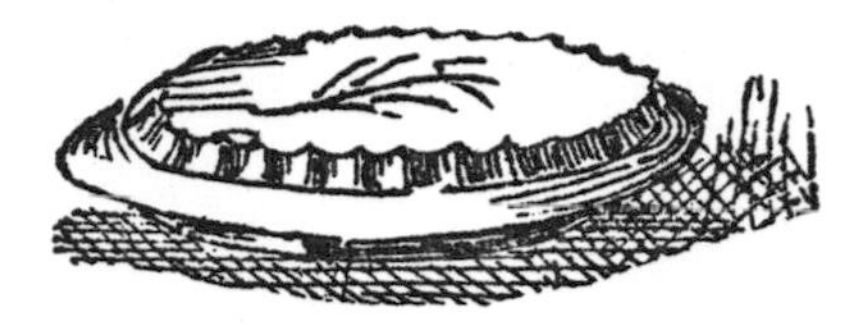

Remerciements

Merci aux magiciens et aux magiciennes suivants et suivantes :

Katherine Tegen, pour avoir cru en ce roman et contribué à lui faire voir le jour. Katie Bignell, pour son aide. Toute l'équipe de HarperCollins Children's Books, non seulement pour avoir fait de cette histoire un livre mais aussi pour sa foi en la famille Bliss.

Alexandra Carillo-Vaccino, Cara Kilduff, Nora Salzman, Jordan Barbour et Tony Rodriguez, pour leur soutien, leur générosité et leur rire.

Le personnel au complet de l'excellente pâtisserie Les Ambassades, pour leur sourire amical et leurs merveilleux croissants si succulents qu'ils sont presque une drogue.

Ma mère et ma sœur, aussi pétillantes et drôles l'une que l'autre, et toutes les deux des écrivains hors pair – peu de gens peuvent se vanter d'être aussi fiers de leur famille que je le suis de vous.

JAG, dont le soutien sans faille, la bonté et le dévouement font de moi officiellement la personne la plus veinarde du monde.

Et enfin, The Inkhouse :

Michael Stearns, pour ses sages conseils éditoriaux et pour m'avoir donné cette chance incroyable.

Et Ted Malawer, dont l'ambition et le talent m'incitent toujours à aller plus loin, dont la générosité m'a tirée de bien des mauvais pas et dont les blagues me feront toujours rire. Un ami comme on n'en a qu'une fois dans la vie.

Ouvrage composé par
PCA – 44400 Rezé

Imprimé en France par CPI
en avril 2017
N° d'impression : 3021864

Dépôt légal : avril 2013
Suite du premier tirage : avril 2017

Pocket Jeunesse, une marque d'Univers Poche,
est un éditeur qui s'engage pour
la préservation de son environnement
et qui utilise du papier fabriqué à partir
de bois provenant de forêts gérées
de manière responsable.

12, avenue d'Italie - 75627 PARIS Cedex 13